비파괴검사 이론 & 응용 ❻

와류탐상검사

■

한국비파괴검사학회
이 용 著

| 머리말 |

1960년대 초에 도입되어 반세기의 역사를 지니고 있는 우리나라의 비파괴검사 기술은 원자력 발전설비, 석유화학 플랜트 등 거대설비·기기들에서부터 반도체 등의 소형 제품에 이르기까지 검사 적용대상도 다양해져 이들 제품의 안전성 및 품질보증과 신뢰성 확보를 위한 핵심 요소기술로서의 중심적인 역할을 분담하게 되었다.

특히 한국비파괴검사학회의 활동 중 비파괴검사기술자의 교육훈련 및 자격인정 분야에서는 그 동안 꾸준한 활동으로 산 · 학 · 연에 종사하는 많은 비파괴검사기술자를 양성하였고, ASNT Level Ⅲ 자격시험의 국내 유치, KSNT Level Ⅱ 과정의 개설을 위시하여 최근에는 ISO 9712에 의한 국제 표준 비파괴검사 자격시험의 도입을 준비 중에 있다.

이에 학회에서는 비파괴검사기술자들의 교육 및 훈련에 기본 자료로 활용하는 것뿐만 아니라 비파괴검사 분야에 입문하는 분들이 비파괴검사를 체계적으로 이해하고 관련 실무지식을 체득할 수 있는 비파괴검사 이론 & 응용을 각 종목별로 편찬 보급하고 있다. 이 교재는 1999년도에 초판으로 발행된 비파괴검사 자격인정교육용 교재 6(와류탐상검사)의 개정판이다.

책은 마음의 양식이요 지식의 근본이라 했다. 지식정보화의 시대를 살아가는데 지식은 미래의 값진 삶을 지향하기 위한 원천이다. 특히 전공 교재는 특정 영역의 체계적이고 가치 있는 내용을 담고 있는 지식의 근원이요 터전이다.

본 비파괴검사 이론 & 응용은 비파괴검사 분야에 입문하는 자 및 산업체의 품질보증 관련 업무에 종사하는 초 · 중급 기술자는 물론 고급기술자 모두가 필수적으로 알아야할 비파괴검사 기술의 개요와 타 전문 분야와의 연관성 등에 한정하여 기술하고 있다. 아울러 이 교재에서는 현재 산업 현장에서 적용이 시도되고 있거나 연구개발 중에 있는 각종 첨단 비파괴검사 방법의 종류와 특징도 소개하고 있다.

끝으로 본 교재의 출판에 도움을 주신 노드미디어(구. 도서출판 골드) 사장님과 자료 및 교정에 협조하여 주신 분들께 심심한 사의를 표하는 바이다.

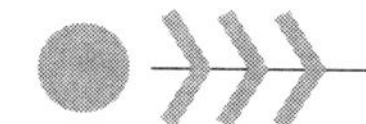

| 목차 |

CONTENTS

제 1 장 와류탐상검사의 개요

제 2 장 와류탐상검사의 원리

제 3 장 시험코일

제 4 장 탐상장치

제 5 장 와전류탐상검사 방법

기 타 – 부록 Ⅰ, Ⅱ, Ⅲ, 찾아보기, 참고문헌

제 1 장 와류탐상검사의 개요

제 1 절 서 론

1. 전자유도(와전류)탐상의 역사

전자기시험은 가장 오래된 비파괴 검사 방법 중에 하나이다. 기원전 600년 테일스(Thales)는 처음으로 전자(amber)를 문지르면 다른 가벼운 물체를 끌어당기는 상태를 유도한다는 것을 기록했고, 기원전 400년 데모크리투스(Democritus)는 물질의 원자구조개념을 제공했다. 그러나 전자유도에 대해서는 19세기 이전에는 설명되지도 관찰되지도 않았다.

에르스테드(H. C. Oersted)는 전류배터리의 끝부분과 연결하는 전선은 그 부근의 나침반에 영향을 미친다는 것을 관찰하였고, 1820년에 발표된 그의 보고서에서 전류자체가 작용의 원인이라는 것을 설명하였다. 또한 그는 자력선은 전선에 직각 방향이며 수직원형인 것을 발견하였다.

변화하는 자계 중에 놓여 있는 도체에 유도전류가 생긴다는 이른바 전자유도의 법칙은 패러데이(Faraday)에 의해서 1831년에 발표되었다. 패러데이는 전자유도에 관한 실험 중, 자석을 도선의 코일속으로 빠르게 넣으면 전선에 전류가 발생하고, 자석을 빠르게 빼면 반대 방향으로 전류가 발생하며, 코일을 자석에 가까이 또는 멀리하면 기전력이 유도되어 전류가 흐르는 것을 발견한 것이다.

패러데이는 그림 1-1과 같이 2차 회로를 1차 쪽으로 이동하면, 1차 코일의 전류의 반대방향으로 전류를 유도한다는 것을 발견했다. 또한 2차 코일을 1차로부터 멀리하면 1차코일의 전류가 같은 방향으로 유도된다는 것을 발견했다.

1845년 독일의 뉴만(Neumann)은 전자유도현상을 다음과 같은 식으로 나타내었다.

$$V = -N\frac{d\emptyset}{dt}$$

여기서 V : 코일의 기전력

N : 코일의 권수

$\emptyset$: 자속

t : 시간

이와 같은 전자유도에 의해 생기는 기전력은 자속의 시간적인 변화와 비교해서 비례한다. 이것을 일반적으로 패러데이의 법칙이라 한다.

상기식의 우변의 (-)기호는 전자유도 작용에 의해 발생한 기전력 때문에 코일에 흐르는 전류는 자속의 변화를 방해하는 방향으로 흐르는 것을 나타내고 있다. 즉 자속이 증가할 때는 코일의 전류는 자속을 감소시키는 방향으로 흐른다. 이것을 렌즈(Lenz)의 법칙이라 한다.

전자유도현상을 재료시험에 사용한 시험은 1879년에 D. E. Hughes에 의해 처음 보고되었다. Hughes는 자기가 발명한 탄소 마이크로폰(microphone : 음파를 음성전류로 바꾸어 보내는 장치)을 이용하여 시험하였고 사용한 장치의 기본적인 방법은 현재 장치의 원형이라 할 수 있다.

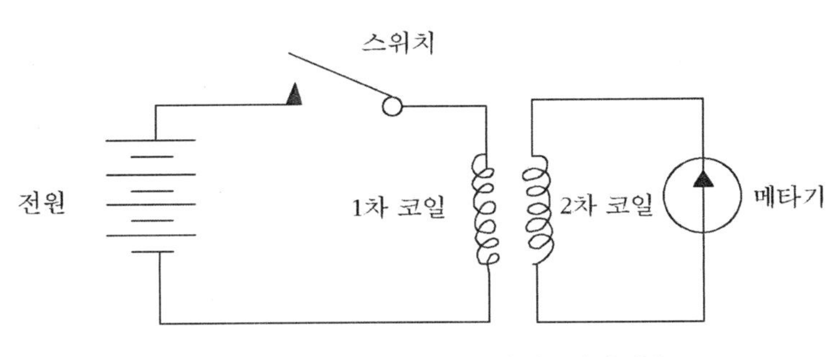

〔그림 1-1〕 직류회로에서의 전자기유도

실용적인 전자유도 시험장치의 개발은 1940년대 초 Vigness에 의해 비자성관의 검사에 적용되었고, 그 후 Farrow, Zuschlag에 의해 강관의 탐상에 적용되었다. Farrow는 요즘 널리 쓰이고 있는 동기 정류법, 강관에 대한 자기적 잡음 제어를 위한 직류 자기포화법을 개발했다.

또 Förster는 1950년 초부터 독자적인 연구개발을 진행해서 다른 매개변수 간의 감별을 위한 임피던스 해석 방법을 제창, 첫 번째 기기개발에 따라 전자유도시험 실용화의 돌파구를 열었고, 1950년에서 1965년까지 전자기유도와 와류탐상검사의 급속한 발달에 공헌하였고, 시험 기술 발전에 큰 영향을 주었다.

그는 물질의 저항과 투자율의 영향으로 여자주파수의 변화를 알아내고 관찰하여 서로 다른 금속 간을 구별할 수 있는 와류탐상검사를 처음으로 수행하였다.

2. 와류탐상검사의 특성

와류탐상검사는 다음과 같은 장단점을 가지고 있어, 그 적용에 고려해야 한다.

가. 장 점

(1) 응용 분야가 광범위하다. 즉, 결함 크기, 전도율 변화, 재질 변화 등을 동시에 검사하는 것이 가능하다.

(2) 관, 환봉, 선 등에 대하여 고속으로 자동화한 능률이 좋은 검사가 가능하며 on-line 생산의 전수 검사가 가능하다.

(3) 표면 결함에 대한 검출 감도가 우수하며, 또 지시의 크기로 결함의 크기를 추정할 수 있어 결함 평가에 유용하다.

(4) 고온 하에서의 측정, 얇은 시험체, 가는 선, 구멍의 내부 등 다른 비파괴 검사로 검사하기 곤란한 대상물에도 적용할 수 있다.

(5) 비접촉 방법으로 프로브를 표면에 접근시켜 검사하는 것부터 원격 조작으로 좁은 영역, 홈이 깊은 곳의 검사가 가능하다.

(6) 결과를 기록하여 보존할 수 있다. 지시가 전기적 신호로 얻어지기 때문에 전기적으로 보존(data recorder를 이용한 tape나 disk등에 기록)하고, 재생시켜 처리할 수 있다.

나. 단 점

(1) 표면 아래 깊은 곳에 있는 결함의 검출이 곤란하다. 이것은 표피 효과 때문이며, 낮은 주파수를 이용하면 개선되지만 적용 시 충분히 고려해야 한다.

(2) 검사하여 얻은 지시에서 직접적으로 결함의 종류, 형상 등을 판별하기 어렵다.

(3) 검사 대상 이외의 재료적 인자(투자율, 전도성, 열처리, 온도 등)의 영향에 의한 잡음이 검사의 방해가 되는 경우가 있다.

(4) 지시는 시험 코일이 적용되는 전 영역의 적분치가 얻어지므로, 관통형 코일의 경우 관의 원주 상 어느 위치에 결함이 있는지를 알 수 없다. 한편 프로브 코일은 적용 영역이 좁기 때문에 판상의 시험체를 검사하려면 전면주사를 해야 한다.

(5) 검사의 숙련도가 요구된다. 특히, 신호평가에 의한 판독에 대해 많은 경험이 요구된다.

(6) 강자성 금속에 적용이 어려우며, 자기포화장치 또는 탈자후 검사를 해야 한다.

(7) 전도성 물질에만 검사가 가능하며, 대비시험편이 요구된다.

다. 다른 표면 결함 검출 비파괴검사 방법과의 비교

(1) 자분탐상 및 누설자속탐상법

자분탐상 및 누설자속탐상법은 강자성체에 한하지만 와류탐상검사는 비자성 재료에도 적용된다. 자분탐상검사에서는 균열의 길이가 판별되지만 깊이는 측정이 어렵다. 누설자속탐상법은 균열 깊이의 정보를 얻을 수 있으나 와류탐상검사의 경우가 더 크다.

(2) 침투탐상검사

침투탐상검사에서는 표면이 열린 결함에 적용되지만 와류탐상에서는 개재물과 같이 표면이 열려 있지 않은 결함, 표면하의 결함도 검출된다. 침투탐상검사는 복잡한 형상을 가진 시험체의 전면 탐상에 적용되고 있다.

(3) 초음파탐상검사

초음파탐상검사는 관의 내표면 결함 검출에 적당하며, 균열의 폭이 좁거나 미소한 결함에 대해 감도가 좋다. 그러나 오스테나이트 강의 초음파탐상검사에서는 입도가 커서 잡음이 생기지만 와류탐상검사에서는 입도의 영향은 극히 적다.

3. 와류탐상검사의 적용분야

가. 와류탐상검사의 용도별 종류

와류탐상검사는 다음과 같은 용도로 그 적용분야를 분류할 수 있다.

(1) 균열측정등 탐상검사

(2) 표면하 균열 및 부식측정

(3) 전도도 측정

- 재료의경도와 열처리
- 알루미늄 합금의 열손상
- 재료식별(품질측면)

(4) 도막두께 측정

- 비철금속재료의 비전도체 두께측정
- 페인트 두께 측정

(5) 치수 및 형상 검사

표 1-1 와류탐상검사의 종류

종류(용도)	영향인자	적 용 대 상	
결함검사	불연속부(결함)	그라파이트 철강, 비철금속	관, 선, 봉, 판 등의 표면 및 표면하의 결함
재질검사	전도율 변화	비철금속(graphite)	화학성분, 열처리 등
	투자율 변화	철강	열처리, 화학성분 등

막두께 측정	도체·코일간 거리변화 (lift-off)	금속 위의 비전도성 막	알루마이트(Alumite), 페인트 등
	금속판 두께	철강·비철	판(막) 두께 측정
치수검사	금속치수·형상	철강·비철	형상, 치수
기타 센서로 응용	전도율, 투자율	금속검지기, 액면검출, 용접온도검출, 근접스위치, 액체금속부 검출	

나. 와류탐상검사의 적용

와류탐상검사는 적용목적, 시기에 따라 제조 공정 중 검사, 완성된 제품검사, 사용중인 제품의 보수검사 등에 적용된다.

(1) 제조 공정 중 검사

와류탐상검사는 비접촉식으로 고속화 검사가 가능하기 때문에 관이나 봉제품의 제조 라인에 설치되어 사용된다. 따라서 와류탐상검사는 시험체 전량에 대해 빠르게 검사를 실시하여 불량품의 조기 검출 및 제조기기의 정상운전 감시를 목적으로 사용된다. 봉이나 관제품 특히 알루미늄관 등을 관통형 코일을 이용하여 검사하면 매우 효과적이다.

(2) 제품검사

완성된 제품의 최종검사에 와전류 탐상이 이용되는데, 일반적으로 철강 및 비철의 관, 봉 등과 같이 일정한 형태의 시험체는 관통형과 내삽형 코일을 이용하여 표면 및 표면하의 결함 및 두께변화, 재질 특성을 검사한다. 시험체가 불규칙적인 형상이거나 관상의 형태는 표면형 코일을 이용하여 검사한다.

(3) 보수검사

와류탐상검사는 원자력, 화력 발전소나 석유화학 플랜트에서 열교환기 튜브, 항공기의 터빈블레이드 및 날개 등의 보수검사에 이용된다. 튜브 형태의 시험체는 내삽형 코일을, 항공기나 선박의 엔진 및 기계 부품 등은 표면형 코일을 이용하여 검사하면 효과적이다. 보수검사에서 관의 침식의 정도나 균열의 발생여부를 측정한다.

4. 용어의 정의

(1) 검사 주파수(test frequency) : 1차 검사코일에 공급되는 교류전류의 단위시간당 완전한 주기수, 시험주파수라고도 한다.

(2) 검사코일(test coil) : 와류탐상검사시 검사품내의 자장을 여자(excite), 검출(detect)

하는 코일이나 코일의 조합, 시험코일이라고도 한다.

(3) 고역필터(high pass filter) : 어떤 특정 주파수보다 높은 주파수 신호만을 통과시키는 필터를 말하며, 자동 탐상시험의 주파수 해석에서 미소한 변화지시를 제거하고 급격히 변화하는 결함신호만을 검출하는데 사용된다.

(4) 끝부분 효과(end effect) : 관통형이나 내삽형 코일로 탐상할 때 발생하며, 관의 끝이 시험코일로 들어가거나 나올 때 관의 맨 끝에서 신호의 왜곡이 일어나기 때문에 끝부분 결함의 감도가 저하된다.

(5) 다중 주파수 기법(multi-frequency technique) : 탐촉자가 각각의 주파수에서 와전류 신호를 제공하기 위하여 다른 주파수에서 순차적 또는 동시에 여자되는 기술

(6) 다중 코일법(multi-coil method) : 복수 개(수개에서 수백 개의)의 코일과 그것과 같은 수의 탐상기 및 기록 장치 등으로 구성된 방법

(7) 대비 결함(reference defect) : 대비 시험편에서 사용하는 인공 결함을 말하며, 전자유도탐상검사에 사용되는 인공 결함으로 여러 가지 가공 방법이 있는데, 강관에는 슬리트(slit), 드릴 구멍 또는 자연 결함, 환봉에서는 슬리트 및 자연 결함, 동 또는 동 합금관일 때는 드릴 구멍을 사용한다.

(8) 대비 시험편(reference standard) : 비교(comparision)와 교정(calibration)에 사용되는 대비 시험편, 관재 검사시, 검사 감도 설정과 주기적인 확인과 교정을 하는데는 인공결함을 가진 관재를 사용한다.

(9) 리프트 오프(lift-off) : 프로브형 코일을 사용하는 전자유도검사에서 시험 코일과 시험체 표면 간의 거리를 말하며, 리프트 오프(lift-off) 효과에 의해서 지시가 변화하면 정확한 검사가 곤란하기 때문에 위상 해석에서는 리프트 오프 효과를 최소로 하여야 한다. 그러나 이 리프트 오프 효과를 반대로 이용하여 피막두께 측정을 할 수도 있다.

(10) 리프트 오프 효과(lift-off effect) : 시험체와 표면코일 사이의 거리가 변화할 때마다 자기 커플링(magnetic coupling)의 변화로 인한 탐상 장비의 출력이 관찰되는 효과

(11) 모서리 효과(edge effect) : 표면형 코일로 탐상할 때 시험체의 모서리 부위나 형태의 급격한 변화로 와전류가 왜곡되어 나타나는 결과

(12) 신호대 잡음비(S/N ratio) : 신호지시의 값과 잡음 값과의 비

(13) 와전류(eddy current) : 주어진 자장의 시간적 또는 공간적 변화에 의해 도체 중에 흐르는 전류

(14) 위상각(phase angle) : 전류와 전압의 위상차를 나타내는 각도를 말한다. 코일의 저항인 리액턴스와 도체에 존재하는 저항과의 위상차

(15) 위상분석법 : 전압과 전류 사이에 존재하는 위상차를 이용하여 와류탐상검사를 수행하는 방법

(16) 유효침투깊이 : 와류탐상검사에서 시험장치가 결함을 검출할 수 있는 최대의 깊이. 유효침투깊이를 초과하는 깊이에서는 시험장치가 사실상 결함을 검출할 수 없게 된다.

(17) 여자전류(exciting current) : 와류탐상검사에서 교류자계를 발생시키기 위해 시험코일에 흘리는 전류

(18) 위상 검출(phase detection) : 두 정현파의 위상차를 검출하는 것으로 위상각의 함수로써 신호를 구하는 방법을 말한다.

(19) 위상검출기(phase detector) : 위상각의 함수로써 신호를 구하는 위상분별기를 말한다.

(20) 위상 변화(phase shift) : 동일주파수의 두 교류 신호량(alternating quantities) 사이의 위상관계 변화

(21) 위상차(phase difference) : 두 인자(전류와 전압, 저항과 인덕턴스)의 실수부와 허수부의 위상각 차이를 말한다.

(22) 임피던스 : 교류전류의 흐름에 대한 회로가 나타내는 총 저항값이며, 특히 전압을 전류로 나눈 복소수 지수이다.

(23) 인덕턴스(inductance) : 코일에 흐르는 전류의 값. 단위는 헨리(henry : H)이다.

(24) 잡음(noise) : 와류탐상검사에서 결함신호의 정상적인 처리과정 또는 결함신호의 수신과 간섭하는 경향이 있는 결함과 관련없는 신호

(25) 절대코일(absolute coil) : 다른 시험부위 또는 다른 시험체와 비교 없이 와류탐상검사 부위의 전기적, 자기적 또는 양쪽 모두의 특성에 응답하는 코일

(26) 차동코일(differential coil) : 시험체의 각 영역에 공통이 아닌 전기적 또는 자기적 조건에 불균형이 생기거나 양쪽의 측정장치에 불균형이 생겼을 때, 전기적 신호를 나타나게 하기 위해 직렬로 역방향으로 접속한 2개 이상의 코일

(27) 차동신호 : 와류탐상검사에서 입력신호의 변화율에 비례하는 출력신호

(28) 최적 주파수 : 개개의 재료 특성의 검출을 위해 얻어진 신호와 잡음의 비를 최대로 하는 주파수. 주어진 재료의 각 특성은 고유의 최적 주파수를 갖는다.

(29) 충전율(fill factor) : 내삽형이나 관통형 코일을 사용하는 와류탐상검사에서 시험체의 내,외경과 코일의 내,외경과의 비를 말한다.

(30) 침투깊이 : 자기장의 강도 또는 유도전류의 강도가 시험체 표면에서 갖는 값의 37[%]가 되는 곳까지의 깊이를 말하며, 침투깊이는 시험체의 투자율, 전도도, 검사

주파수와 관계가 있다.

(31) 포화코일(saturation coil) : 측정위치에서 투자율 변화의 영향을 감소시키기 위해 사용된 직류자기장을 만들어 내는 보조코일

(32) 표피효과(skin effect) : 전류의 주파수가 증가함에 따라 전도체 내부로의 전류의 침투깊이가 감소하고 표층부에 집중되는 현상

(33) 탐촉자 흔들림(probe motion) : 와류탐상에서 탐촉자의 이동시 흔들림에 의한 잡음신호가 발생하는 것. probe wobbling이라고도 한다.

제 2 절 와류탐상검사의 기초 개념

1. 와류탐상검사의 기본원리

와류탐상검사는 전자유도의 원리에 근거로 두는 비파괴검사방법이다. 전자기는 간단히 전기와 자기를 사용하는 것을 의미한다. 정해진 일정 상태에서의 전기흐름은 자기를 일으킬 수 있으며 또한 자기는 전기의 흐름을 일으킬 수 있다. 교류가 코일을 통해서 흐를 때 자기장의 변화가 발생된다. 코일을 전도체 시험체에 근접시키면 자기장은 그림 1-2에서 설명되는 것과 같은 전류(와전류)를 유도한다.

와전류의 흐름은 시험체의 물리적 및 전기적 특성에 달려있다. 시험체에 와전류가 흐르면 시험체 자신의 변동 자기장을 일으키게 한다. 와전류에서 자기장은 그림 1-2에서와 같이 항상 코일의 자기장의 반대에 있다. 따라서 시험코일이 전도체에 있을 때 코일의 자기장의 힘은 줄어든다. 자기장에서 이 변화는 코일을 통해서 흐르는 전류에서 변화를 일으키고, 교대로 코일의 임피던스의 변화를 일으킨다. 임피던스의 변화는 시험회로에 있는 판독표시에 의해 검출된다.

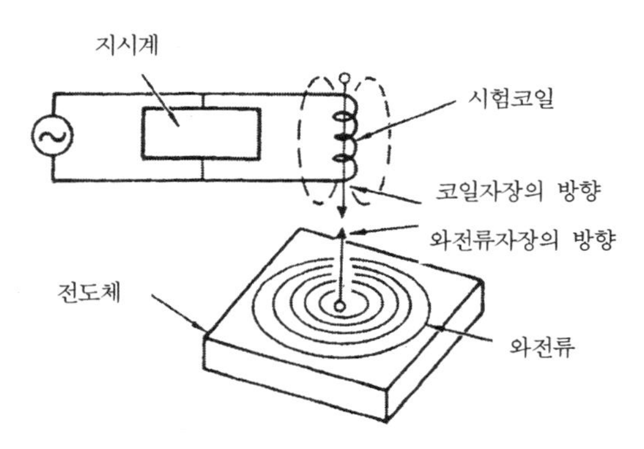

〔그림 1-2〕 기본적인 와류탐상검사 시스템

와류검사장치는 이 임피던스 코일 변화를 측정하고 표시하며, 시험자가 시험체의 특성, 그리고 상태에 대하여 귀중한 정보를 평가하는 것을 허용한다.

와류탐상검사는 다른 비파괴검사 방법같이, 시험체의 상태를 평가하기 위하여 전자기 에너지의 응용을 필요로 한다. 물질과의 상호 작용 과정이 서로 영향을 주는 에너지는 물질의 상태를 확인하기 위하여 분석된다. 기본적으로 전자기 검사방법은 와류탐상검사와 누설자속탐상시험을 포함하여 광범위한 기술을 포함한다.

2. 누설자속탐상시험의 원리

누설자속탐상시험은 강자성체 물질의 빠른 평가를 제공할 수 있는 전자기 기술이다. 이 기술은 전자석을 만드는 코일에 직류를 통과시키거나, 영구자석으로부터 시험체의 자화를 포함한다. 시험체의 표면 또는 표면하에 있는 불연속은 불연속 주위의 누설자장에 있는 자속선의 흐름을 저해한다.

누설자장은 여러 가지 기술을 사용하여 탐상할 수 있다. 자분탐상검사에서는 자분을 시험체 표면의 누설부분에 적용하여 표시된다. 이 자분은 건식 또는 습식을 사용하며, 표면 균열의 주위에 누설자장에 의해 균열을 따라 정렬된 자분을 끌어당긴다. 누설자속은 홀소자 탐촉자(Hall effect probe)나 간단한 유도코일과 같은 직접 접촉하지 않는 탐지기를 사용하여 검출할 수 있다.

3. 와전류와 자장

와전류란 교류 자장에 의해 전도체 안에 유도된 원형의 전류로 정의된다. 즉, 코일에 교류를 적용시키고, 이 코일에 전도체 표면에 위치시키면 코일의 자장이 전도체 안에 와전류를 유도하게 된다.

또한 코일 안에 전도체를 위치시키거나 전도체 안에 코일을 위치시켜도 와전류를 얻을 수 있으며, 이때 주의할 것은 전도체가 외부 회로와 연결되지 않는다는 것이다.

시험 코일 안에 전도체를 위치시키면 코일의 자장이 전도체에 전류를 유도한다. 이 전류는 연속적인 원형 궤도를 그리며 흐르고, 코일의 자장 교류로 교번된다.

전도체 안의 와전류는 시험 코일에서 발생하는 자장과는 반대되는 방향의 아주 약한 자장을 만들며, 이 두 종류의 자장은 와전류 시험 코일 임피던스에 변화를 일으키는 상호작용을 한다. 또한 그러한 변화는 지시계에 나타난다. 다시 말해서, 시험코일이 결함 위를 통과하거나 재질의 차이가 있을 때 와전류에 의해 발생되는 자장의 변화가 와전류의 흐름을 변하게 하고, 결국 코일 임피던스도 변화한다.

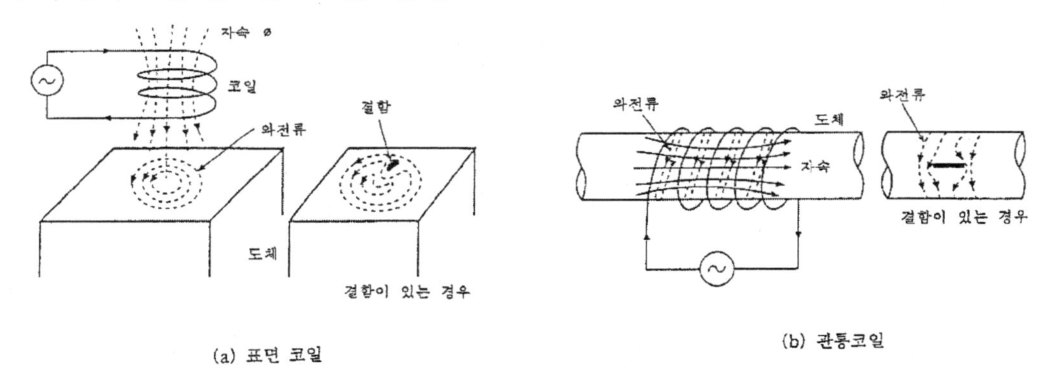

〔그림 1-3〕 시험코일의 자장과 와전류 흐름

그림 1-3은 와전류의 발생과 자장의 방향 및 결함에 의한 와전류 흐름의 변화를 나타낸 것이다. 여기서 우리가 알 수 있는 것은 와전류 자장은 코일의 자장과 반대이며, 반대량은 전도체와 와전류의 차이에 의거한다.

4. 와전류와 전도율

모든 물질은 전류의 흐름에 대한 특정한 저항을 갖고 있다. 이를 크게 나누어 세가지로 분류할 수 있는데, 높은 저항을 가진 비전도체(non-conductor), 중간 저항을 가진 반도체(semiconductor), 낮은 저항을 가진 전도체(conductor)로 구분된다. 이중 대부분이 금속으로 이루어진 전도체 안에서만 와전류가 존재한다. 전도체는 전도율(conductivity)와 저항(resistivity)의 두 방법으로 전류의 흐름에 대해 측정하며, 와류 탐상 검사에서는 국제연동규격(IACS ; International Annealed Copper Standard)를 근거로 하는 측정법을 많이 사용하게 된다.

이 방법은 순수하게 정제된 구리의 전도율을 100%로 하고, 다른 금속이나 합금의 전도율과 비교하여 %값으로 환산하여 나타낸 것이다.

물체의 전도율은 주어진 시험편마다 고유하다. 균일한 재료를 사용했을 경우, 내부으 결함 등으로 인하여 전도율 분포 상황이 변화하고, 따라서 와전류의 크기도 달라지므로 내부 결함의 유무 및 그 결함 상태를 측정할 수가 있다.

금속의 전도도에 영향을 미치는 인자로는 다음과 같은 것이 있다.

(1) 화학 성분
(2) 합금 성분 또는 불순물 함량
(3) 냉간 가공
(4) 온도 : 온도가 증가하면 전도율이 감소함
(5) 불연속부 : 균열, 개재물 등
(6) 화학 구조 : 격자 구조
(7) 열처리 : 특히 담금질(quenching)
(8) 재료의 강도와 경도
(9) 금속 조직 및 결정 입도
(10) 잔류 응력

5. 와전류에 영향을 미치는 인자

시험체에는 결함 등과 같은 와전류의 흐름을 방해하는 불연속 부분이 있어 와전류의 강도와 분포가 변화한다. 이로 인하여 와전류에 의한 균열 등의 결함을 검출할 수가 있다. 그러나 와전류의 방향과 같은 방향에 있는 작은 결함은 와전류의 흐름을 방해하는 양이 적어 큰 결함에 비하여 검출하기 어렵다.

와전류의 변화는 시험체의 결함(불연속부)에 의해서만 일어나는 것이 아니며 시험체의 투자율, 전도율 등의 재질 변화, 시험체의 형상 변화, 시험체와 코일간의 거리, 상대 위치의 변화 등에 의해서도 발생된다. 따라서 이것들을 적극적으로 이용하며 재질 판별이나 크기를 계획하는 것도 가능하다. 그 반면 결함검출을 목적으로 할 때에는 결함으로 인한 신호에 방해인자가 들어가 잡음으로 중첩해오기 때문에 그의 분리가 실용상 중요한 과제가 되고 있다.

이와 같이 방해인자가 결함으로 의심되는 지시에 중첩했을 때 이것을 의사 지시(疑似指示)라고 부른다. 비파괴 검사법은 어느 것을 시행하더라도 많던 적던 의사 지시를 나타낼 가능성이 있다. 그 중에서도 와전류 검사법은 특히 그 위험성이 크기 때문에 주의해야 한다. 따라서, 검사에 들어가기 전에 이와 같은 방해인자를 가능한 한 제거하는 것이 제일 중요하다. 그래도 남아있는 것은 검사 장치의 기능에 의해서 어느 정도는 제거시킬 수가 있다. 그러나 이러한 단점을 잘 극복해서 널리 활용하고 있다는 것은 와전류 검사법의 유용성 때문인 것이다.

위에서 설명한 것과 같이 와전류에 영향을 미치는 인자를 요약하면 다음과 같다.

(1) 불연속 : 균열 등의 결함
(2) 투자율 : 자성체에만 적용되고, 재료 및 재료에 적용되는 자력의 값에 따라 변한다.
(3) 전도성 : 화학 성분, 온도, 응력, 열처리 등에 대해 변한다.
(4) 시험체와 치수 변화 : 크기, 형상, 두께 등
(5) 시험체와 코일간의 거리 : 피막 두께

이들의 영향인자 중에서 특정 영향인자를 대상으로 하여 여러 가지 시험 방법이 개발되어 있고 와전류 센서로 이용하는 것도 있다.

【 익 힘 문 제 】

1. 와류탐상검사의 적용에는 어떠한 분야가 있는가?

2. 와류탐상검사의 용도별 종류를 설명하라.

3. 기본적인 와류탐상검사 시스템을 그림으로 설명하시오.

4. 금속의 전도도에 영향을 주는 요인들은 어떤 것들이 있는가?

5. 와전류에 영향을 미치는 인자는 무엇인가?

6. 와류탐상검사와 누설자속탐상시험의 차이점은?

7. 와류탐상검사의 장점은 무엇인가?

8. 와류탐상검사의 단점은 무엇인가?

9. 와류탐상검사가 적용되는 분야에 대해 약술하시오

제 2 장 와류탐상검사의 원리

제 1 절 와전류 이론

1. 와전류의 발생

와류탐상검사의 원리는 전자기 유도의 과정에 의한다.

이 과정은 교류전류가 흐르는 시험코일을 포함한다. 시험코일에 흐르는 교류전류는 코일 주위에 전자기장을 만들며 이 자기장을 우리는 1차 자장으로 알고 있다.

그림 2-1은 여자코일의 구성도이다. 시험코일 주위에 발생되는 전자기장은 코일로 부터의 거리와 코일 단면적에 따라 강도를 기술할 수 있다.

전자기장은 표면코일에서 가장 강하다.

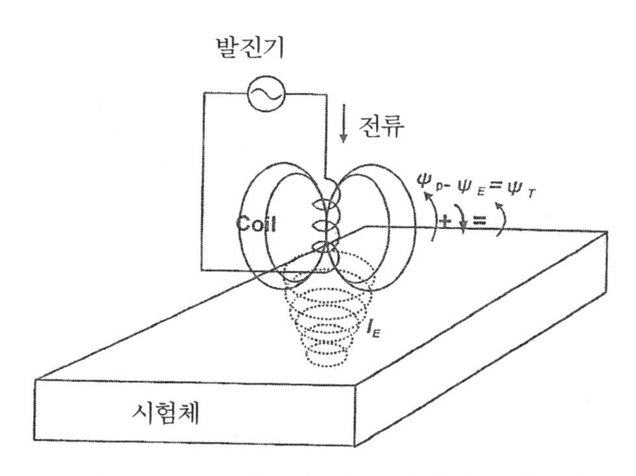

〔그림 2-1〕 교류전류에 의해 발생되는 전자기장

이 코일 주위에서 발생되는 자장은 적용하는 전류와 전류 또는 주파수 변화율, 그리고 코일 인자의 크기에 직접적으로 비례한다.

코일인자는 인덕턴스, 직경, 길이, 두께, 코일의 권수 그리고 코어 재료(core material)를 포함한다.

전류는 전도체를 통과하는 전자의 이동으로 규정된다. 전류단위는 암페어(ampere)이며,

회로내 주어진 지점을 6.25×10^{18} electron/sec의 흐름으로 그 양을 설정한다.

전도체는 전류를 전달할 수 있는 모든 물체를 말하며, 어떤 물체는 전도체이고, 어떤것은 비전도체라고 하는 것은 전기를 전도할 수 있거나 또는 전도할 수 없는 것으로 구분하며 그 것은 물체의 각각의 원자 구조에 의한다.

교류는 주기적으로 그 방향을 바꾸기 때문에 코일의 자장도 주기적으로 방향이 바뀌게 된다.

시험코일에 적용되는 교류는 고정된 값을 갖고 있지 않으며 그 값이 중앙값에 대해 전후로 변한다. 이것은 코일을 통해 흐르는 전류의 양이 변한다는 뜻이다. 고로 코일의 자장강도는 코일을 통해 흐르는 전류의 양에 의존하며, 코일의 자장 강도는 교류의 변화에 따라 달라진다.

코일 주위의 자장은 선형 궤도로 보여 지며, 각 선상의 각 점에서 일정한 자력을 띠게 된다. 즉 자장 또한 강도를 가지며 이 강도는 자장 안에서 변화한다.

다음의 그림 2-2에서 보는 바와 같이 코일의 자장 안에는 한 지점에 위치할 수 있는 탐촉자가 있으며, 탐촉자에 연결된 계기가 그 점에서의 강도를 나타낸다.
교류는 파동 전류이므로, 그 전류는 평균값을 갖게 된다. 만약 계기를 사용하면 자장 안의 한 일정 지점에서는 계기의 수치가 변화 없음을 알게 된다.

시험체에 유도된 와전류의 양은 시험코일의 자장강도와 연관되며, 자장강도는 거리에 따라 변한다. 따라서 계기를 사용해 코일의 바깥 부위인 A 지점에서부터 B, C 지점까지 코일의 자장 강도를 측정하게 되면, 코일의 표면에서 멀리 이동할수록 강도가 감소됨을 알 수 있다.

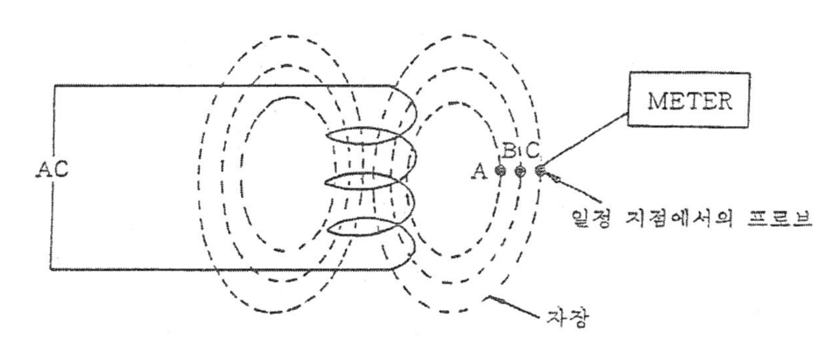

〔그림 2-2〕 전류와 자장강도

이러한 원리를 이용하여 시험코일을 시험체 표면 위에 위치시키면 시험체에서 유도된 와전류의 양은 자장강도의 증가에 따라 증가된다. 다시 말해 시험체에서 유도된 와전류의 양을 증가시키려면 시험코일을 시험편에 가까이 근접시켜 코일의 자장강도가 증가되도록 해야 한다.

만약 시험체와 코일의 거리가 변하게 되면 시험체에서 유도되는 와전류의 양도 변하게 되므로, 와전류 탐상시에 일정 거리를 유지해야 한다는 것은 매우 중요한 사항이다.

와류탐상검사에서 코일의 자장강도는 코일 외부로 부터의 거리에 따라 감소하고, 코일의 내부직경에 걸쳐서 일정하다고 간주한다.

2. 기전력(Electromotive force)

패러데이의 가장 큰 공헌은 전자기유도를 발견한 것이다. 패러데이는 전자유도에 관한 실험 중 자석을 도선의 코일속으로 빠르게 넣으면 전선에 전류가 발생하고, 자석을 빠르게 빼면 반대 방향으로 전류가 발생하며, 코일을 자석에 가까이 또는 멀리하면 기전력이 유도되어 전류가 흐르는 것을 발견하였다고 전술한 바 있다.

기전력은 기계적, 화학적 또는 에너지의 다른 형태로부터 이끌어 내는 전기적 에너지이며, 그 단위는 볼트(volt)로 측정된다.

3. 저항(Resistance)

저항만을 포함한 교류회로 안에서 저항은 회로를 통해 흐르는 전류의 양에 단순히 제한적이며, 전류와 전압사이에 위상관계가 변화하지는 않는다. 저항은 모든 회로에 존재하며, 회로내에서 총 저항은 코일의 저항은 물론 전선의 저항을 포함한 것이다.

저항의 단위는 옴(ohm)이며, 1볼트의 기전력이 1 암페어의 전류를 만들 때의 저항값이며 다음과 같은 식으로 나타낸다.

$$E = I \times R \text{ 또는 } I = \frac{E}{R}$$

여기서 E = 전압(volt) , I = 전류(ampere),
R = 저항(ohm) 이다.

4. 인덕턴스와 리액턴스

전선에 교류를 연결하면 전류가 흐르고, 전류의 값은 전선의 저항(R)에 좌우된다. 같은 전선을 코일 형태로 감아 연결시키면 다른 전류가 코일을 통해 흐르게 된다. 이때의 코일의 값을 인덕턴스(inductance)라고 부르며, 단위는 헨리(henry : H)이다. 인덕턴스는 코일 특유의 특성이며 코일 감은 수, 코일의 간격, 코일의 지름, 재료, 코일 감는 방법 및 형태에 의해 결정된다. 모든 코일은 각각의 일정한 인덕턴스 값을 갖고 있고, 약자로 "L"을 사용한다.

와류탐상에서는 코일의 인덕턴스가 직접적으로 관련되는 것이 아니고, 리액턴스(reactance)라고 불리 우는 것이 관계가 있다.

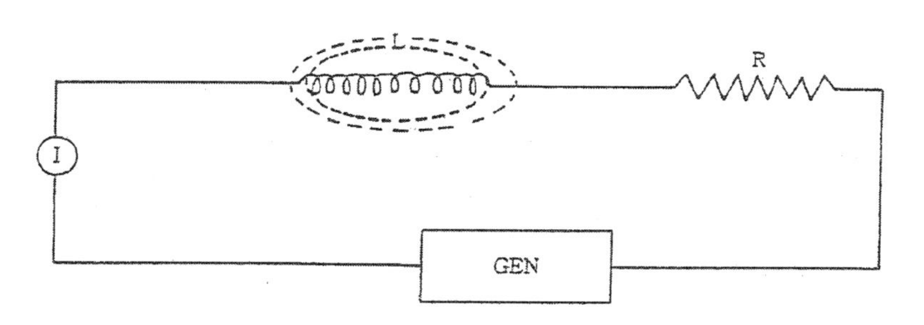

〔그림 2-3〕 저항(R)과 인덕턴스(L)

리액턴스(ωL)는 코일의 인덕턴스와 코일에 적용되는 교류의 주파수로써 정의되며, 다음 식으로 표시된다.

$\omega L = 2\pi f L$ 여기서 f : 교류 주파수
L : 코일의 인덕턴스

리액턴스의 크기는 Ω(ohm)이라는 단위로 표시한다.

저항(R)에 교류 전압을 걸면 전류는 그 전압과 동상(同相), 즉 위상(位相)이 동일하다. 그러나 리액턴스에 교류 전압을 걸면 전류는 그 전압과 90° 만큼 위상 차이가 생긴다.

리액턴스를 만드는 것은 코일 또는 콘덴서이며, 전류는 코일에서는 늦고 콘덴서에서는 앞선다.

5. 임피던스

그림 2-4(a)에서 V_R과 V_L의 합은 입력 전압 V와 같아지며, 이들의 위상을 고려하여 전압 벡터(vector)도에 나타내면 그림 2-4(b)와 같이 된다.

이 벡터도에서

$$V = \sqrt{V_R^2 + V_L^2} = \sqrt{(RI)^2 + (\omega L \cdot I)^2} = \sqrt{R^2 + (\omega L)^2} \times I$$

가 되는 관계를 얻을 수 있다.

여기서

$Z = \sqrt{R^2 + (\omega L)^2}$ 라 하면

$V=ZI$ 가 된다

상기 식에서 주어진 Z를 임피던스(impedance)라 하며, 그 단위는 역시 Ω이다.

즉 임피던스는 저항(R)과 리액턴스(ωL)를 합한 것이다.

임피던스의 위상은 그 벡터와 횡축 사이의 각도로써 주어지며, 전압, 전류, 임피던스 각각

의 크기에 대해서 옴(ohm)의 법칙이 성립되고 전압의 위상은 전류와 임피던스의 각 위상의 합이 된다.

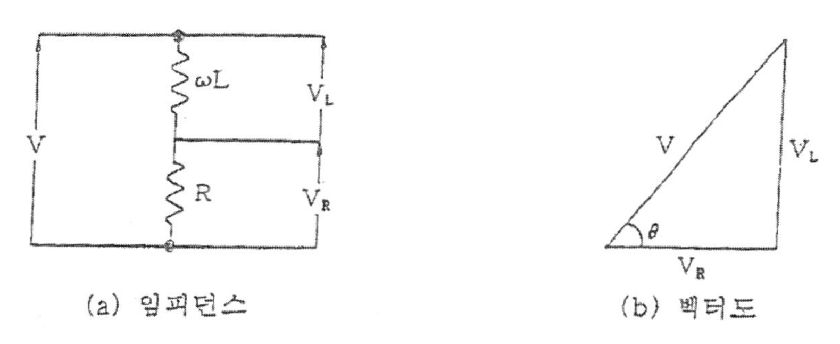

〔그림 2-4〕 코일의 임피던스와 벡터도

그림 2-4(b)에서 각 벡터를 전류의 크기로 나누어도 같은 형의 벡터도를 얻을 수 있다. 각 전압 벡터 V, V_R, V_L을 전류로 나누면 각각 Z, R, ωL으로 되므로, 그림 2-5와 같은 벡터도를 얻게 된다. 이 임피던스로 표시한 벡터도를 임피던스 벡터도 또는 임피던스 평면도(impedance plane)라 한다.

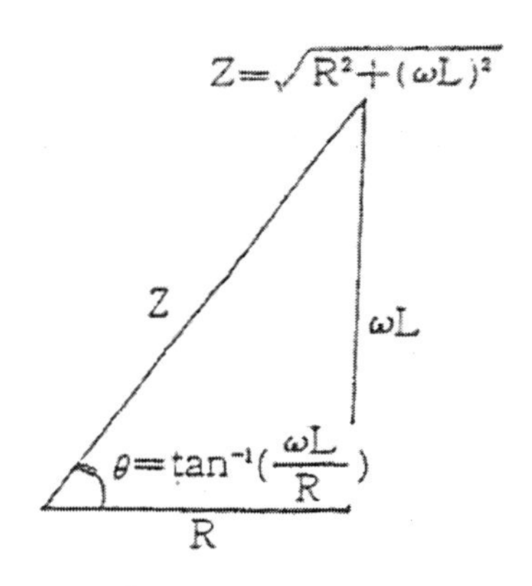

〔그림 2-5〕 임피던스 벡터도

또한 그림 2-4(a)에서 V와 I의 위상차를 θ라 하면

그림 2-5에서 $\tan\theta = \dfrac{V_L}{V_R} = \dfrac{\omega L}{R}$

전압과 전류의 위상차는 $\theta = \tan^{-1}(\dfrac{V_L}{V_R}) = \tan^{-1}(\dfrac{\omega L}{R})$ 로 구해진다.

제 2 절 와전류 발생의 기본

1. 시험체 특성과 와전류 영향

시험체에 유도되는 와전류에 영향을 주는 재료의 기본특성은 다음의 세가지가 있다.

1) 시험체의 전도율(Conductivity)
2) 시험체의 투자율(Permeability)
3) 시험체의 치수(Dimensions)

가. 전도율과 와전류

모든 물질은 전류의 흐름에 대한 특정한 저항을 갖고 있다. 이를 크게 나누어 세가지로 분류할 수 있는데, 높은 저항을 가진 비전도체(non-conductor), 중간 저항을 가진 반도체(semiconductor), 낮은 저항을 가진 전도체(conductor)로 구분된다. 이중 대부분이 금속으로 이루어진 전도체 안에서만 와전류가 존재한다. 전도체는 전도율(conductivity)와 저항(resistivity)의 두 방법으로 전류의 흐름에 대해 측정하며, 와류탐상검사에서는 국제연동규격(IACS; International Annealed Copper Standard)를 근거로 하는 측정법을 많이 사용하게 된다. 전도율은 $\Sigma(\sigma)$의 기호로 표시하며, 단위는 IACS %로 나타낸다.

이 방법은 순수하게 정제된 구리의 전도율을 100%로 하고, 다른 금속이나 합금의 전도율과 비교하여 %값으로 환산하여 나타낸 것이다.

물체의 전도율은 주어진 시험편이나 고유하다. 균일한 재료를 사용했을 경우, 내부의 결함 등으로 인하여 전도율 분포 상황이 변화하고, 따라서 와전류의 크기도 달라지므로 내부 결함의 유무 및 그 결한 상태를 측정할 수가 있다. 금속의 전도도에 영향을 미치는 인자로는 다음과 같은 것이 있다.

(1) 화학성분
(2) 합금 성분 또는 불순물 함량
(3) 냉간가공
(4) 온도 : 온도가 증가하면 전도율이 감소함
(5) 불연속부 : 균열, 개재물 등
(6) 화학구조 : 격자구조
(7) 열처리 : 특히 담금질(quenching)
(8) 재료의 강도와 경도
(9) 금속조직 및 결정입도
(10) 잔류응력

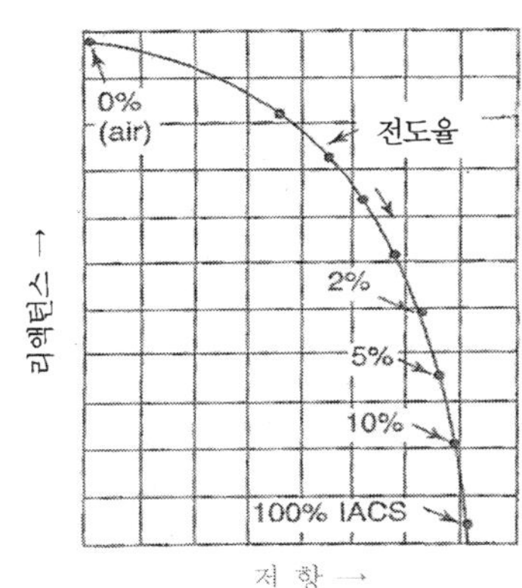

〔그림 2-6〕 전도율 곡선

표 2-1 여러가지 재료의 전도율과 저항 (저항; $\mu\Omega$cm 전도율; %IACS)

재 료	저항	전도율	재 료	저항	전도율
알루미늄(99.9)	2.65	64.94	구리	1.72	100.00
6061-T6	4.10	41.00	금	2.35	75.00
7075-T6	5.30	32.00	납	20.77	8.30
2024-T4	5.70	30.00	티타늄99%	48.60	3.50
알루미늄브론즈	12.00	14.00	지르코니움	40.00	4.30
스텐레스304	72.00	2.39	텅스텐	5.65	30.00

나. 투자율과 와전류

투자율은 자력의 세기에 대한 자속밀도의 비율을 자장의 영향을 받아 자화할 때 생기는 자속밀도 B와 자력의 세기 H와의 비율, 즉 투자율(μ)=B/H로 정의된다.

시험체중에는 철, 니켈, 코발트 및 이들의 합금과 같은 강자성체와 알루미늄, 마그네슘, 티타늄합금과 같은 상자성체, 그리고 구리금, 아연등과 같은 비금속재료의 반자성체가 있으며, 이들은 자장에 영향을 받는 재료의 투자율에 따라 구별되고 있다.

자성체의 경우 투자율의 효과가 전도율 효과보다도 매우 크기 때문에 시험하기 전 반드시 시험체가 자성체인가 아닌가를 확인하여야 하며, 투자율을 일정하게 하기 위해서는 시험체를 자기포화 상태로 만들어야 한다. 이것은 자력이 변하여도 자속밀도가 더 이상 변하지 않는다는 것을 의미한다.

다. 치수와 와전류

시험체의 치수와 관련된 요인은 다음의 두가지를 말한다.

1) 시험체의 치수와 형상
2) 시험체 내의 불연속부

와전류는 두꺼운 물체를 투과하지 못하고 표면 부근에 집중되는 경향이 있다. 와전류가 얼마만큼 깊게 내부를 흐르는가를 측정하기 위해 침투깊이라는 양이 사용되며 이 내용은 다음 장에서 자세히 설명하기로 한다.

시험코일에 적용되는 주파수가 증가할수록 표면 부근에 와전류가 집중 분배되고, 내부로 들어갈수록 감소한다. 반대로 주파수가 낮아지면 와전류는 중심 안으로 깊게 분배된다.

또한 와전류의 흐름이 불연속부 등에 영향을 받아 와전류의 방향이 방해되거나 변화되면,

와류자장이 변하고 시험코일 자장에 영향을 주게 된다.

표면에 열려있는 불연속부는 표면하의 불연속부 보다 쉽게 탐상할 수 있으며, 표면에 열려 있는 불연속부는 넓은 범위의 주파수로 탐상할 수 있다. 표면하에 있는 불연속부를 탐상할 때는 주파수 선정에 유의하여야 한다.

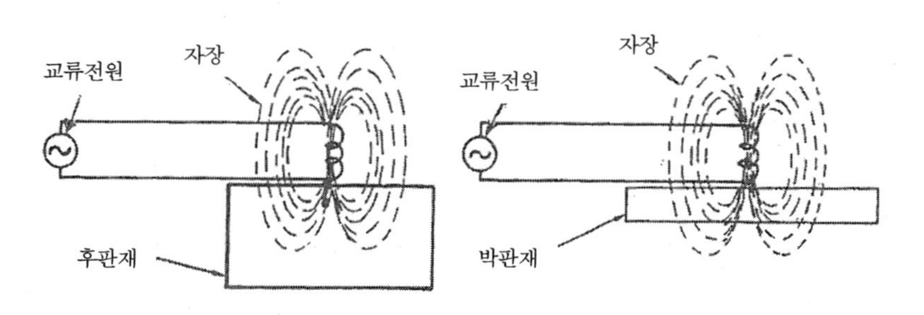

〔그림 2-7〕 와류탐상시 재료두께의 영향

이상에서 설명한 시험체 특성에 대한 와전류 영향을 와전류탐상의 출력지시를 판독하게 위한 3대변수라고 한다.

와전류 탐상의 출력지시를 판독하기 위해서는 3대 변수를 기억하여야 한다.

(1) 전도율(conductivity) ; σ

$$R = \rho\frac{L}{S} = \frac{1}{\sigma}\cdot\frac{L}{S}$$

여기서 R : 저항 L : 저항체 길이

σ : 전도율 S ; 단면적

ρ : 비저항

$$\therefore \sigma = \frac{1}{\rho}$$

(2) 투자율(permeability) ; μ

$$\mu = \frac{B}{H}$$

여기서 μ : 투자율

B : 자속밀도

H : 자력

(3) 치수변화(dimension) ; D

$$\text{충전율(fill-factor)} = (\frac{D_2}{D_1})^2$$

여기서 D_1 : 원주직경(내경)

D_2 : 코일직경(외경)

2. 자장강도와 표피효과

시험체의 표면 위에 시험 코일을 위치시키면 표면으로 와전류가 흐른다. 이때 주의해야 할 점은 시험편의 와전류 경로가 시험체와 평행으로 원형을 이루어야 하며, 또한 시험코일은 회로에 평행해야 한다.

코일 안에 원주봉이 있을 때를 살펴보기로 하자. 원주가 코일내에 위치할 때 와전류의 흐름은 원주 표면으로 흐른다.

시험체 및 원주 단면에 걸쳐, 와전류의 분포는 표면 부위에 집중되어 있고 원주의 중앙에는 와전류가 존재하지 않는다. 이러한 현상을 표피효과(表皮効果 : skin effect)라고 한다. 이러한 현상의 원인은 와전류의 흐름이 코일의 자장에 반대되는 자장을 발생시키고, 이것은 물론 코일의 자장강도를 감소시킨다. 또한 표면 부근에서 코일의 총 강도는 원주에 적용되므로 이것은 많은 와전류를 발생시키고, 이 전류는 코일의 자장강도와 반대되는 자장을 형성시키기 때문이다.

코일내의 원주의 와전류 밀도는 원주의 표면 근처에서 최대가 되고, 내부로 들어 갈수록 낮아진다.

3. 주파수와 침투깊이

다시 반복되는 내용이지만, 와전류탐상은 와전류의 흐름이 불연속부 등에 영향을 받아 와전류의 방향이 방해되거나 변화되면, 와전류자장이 변하고 시험코일 자장에 영향을 주게 된다. 또한 와전류가 강할수록 불연속부를 탐상할 수 있는 강도가 높은 시스템을 갖게 되며, 와전류는 코일 안에 위치한 원주의 표면 부근이 더 크기 때문에 와전류 강도도 표면 부근이 더 크다. 이러한 현상을 표피효과라고 하였다.

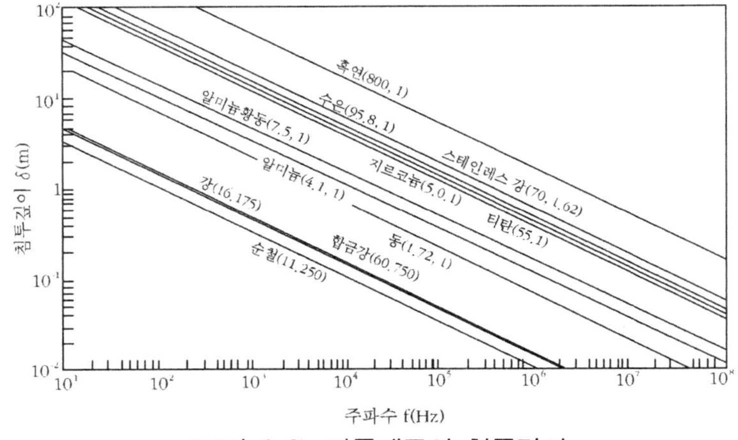

〔그림 2-8〕 각종재료의 침투깊이

시험코일에 적용되는 교류 주파수와 원주 안의 와전류의 분배사이에 나타나는 관계를 정의해보면, 주파수가 증가할수록 표면 부근에 와전류가 집중 분배되고, 내부 깊숙이 들어 갈수록 감소된다. 반대로 주파수가 낮아지면 와전류는 중심 안으로 깊게 분배된다.
즉 와전류가 얼마만큼 깊게 내부를 흐르는가를 측정하는지 위해 침투(浸透)깊이라고 하는 양이 사용되고, 그 밀도가 표면치의 약 37%로 저하하는 곳의 깊이를 표준 침투깊이(standard depth penetration)라 한다. 이 표준 침투깊이는 δ로 표시하며, 교류의 주파수(f), 도체의 전도율(σ), 투자율(μ)이 클수록 작아진다. 평판상(平板狀) 도체에서의 식은 다음과 같다.

$$\delta = \frac{1}{\sqrt{\pi f \mu \sigma}}$$

여기서 f : 주파수(Hz) σ : 전도율(μ/m)

δ : 침투깊이(m) μ : 투자율(H/m)

이 침투깊이(δ)는 어떤 이상적인 형상에 대해 정의된 양이며, 일반적인 시험체인 경 우, 침투깊이의 수 배 이상 깊은 곳에서의 정보를 와전류에 의해 얻기에는 무리라고 생각하는 것이 좋다.

이상에서 설명하였듯이 와류탐상검사를 수행시, 목적이 표면의 표면 불연속을 찾는 것이라면, 불연속부에 최대 감도를 얻도록 주파수를 증가시킨다. 또한 와전류 침투 깊이는 시험편의 전도성에 따라 변하므로, 전도성이 증가하면 침투 깊이가 감소된다. 결론적으로 와전류의 침투 깊이는 전도성 및 주파수가 증가할 때 감소된다.

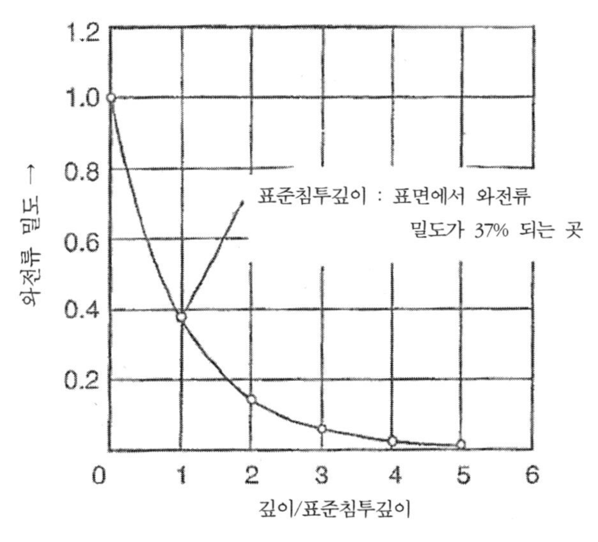

〔그림 2-9〕 와전류 밀도의 변화

제 3 절 시험편의 자기 및 전기적 효과

1. 전자기적 변수

일반적으로 비자성체의 와전류 탐상에서 출력 지시에 영향을 주는 2가지 인자 중 하나는 시험편의 전도성이며, 다른 하나는 시험코일과 시험체 사이의 거리에 따른 연결성으로 이 연결성은 리프트-오프 효과와 충전율을 말한다.

상기 사항은 전기적(電氣的) 변수와 자기적(磁氣的) 변수로 구별하는 것이 편리하다.

즉 전도성은 전기적 변수(electric variable)이고, 기하학적 구조로 예기되는 치수변화는 자기적 변수(magnetic variable)이다.

가. 비자성체의 변수

어떤 시험체가 비자성체일 때 시험체 안에 존재하는 것은 전기적 효과뿐이나, 비자성체 시험체에서의 출력 지시는 전기적 효과 및 자기적 효과도 함께 갖는다. 왜냐하면 원주의 치수변화가 이 시스템 안에 있으므로 비록 시험체가 자석 효과가 없더라도 출력지시는 전기적 및 자기적 효과를 동시에 갖게 된다. 다시 말해서 비자성 물질에서도 자장은 존재할 수 있다. 전류가 전선을 통해 흐르면 자장이 전선 주위에 형성되며, 전선은 비자성체도 될 수 있기 때문이다. 물론 이 때 재료는 전도체이어야 한다. 또한 시험체에 전류가 흐르면 코일의 자장에 대해 반응하는 자장이 발생된다. 이러한 사실은 즉 자성체이던 비자성체이던 간에 자장이 존재한다는 것이다.

비자성체의 시험체에서 출력 지시에 영향을 주는 두 가지 변수는 전도성(전기적 변수)과 치수변화(자기적 변수)인 것이다.

나. 자성체의 변수

시험체가 자성체라면 제3의 변수를 갖게 되며, 이것을 투자율(permeability)이라 하고 기호 μ로 나타낸다.

표 2-2 전기적 및 자기적 변수

비 자 성 체		자 성 체	
전기적 변수	자기적 변수	전기적 변수	자기적 변수
1. 전도성	2. 치수변화	1. 전도성	2. 치수변화 3. 투자성

투자성에 대해서는 추후 다시 얘기하기로 하며, 와류탐상검사에서 유념해야 할 것은 전도성이며, 투자성은 요망되지 않는 변수인 것이다.

2. 투자성

가. 자력 및 자속밀도

코일 또는 자성체에는 선형으로 나타나는 자장을 갖는다. 이 자장은 자석의 힘을 가지며, 이 힘은 각 지점마다 변하는데 이것을 자장강도라고 부른다. 이 강도를 자력(磁力)이라고도 한다.

자속(磁束)이란 모든 선형 자력선에 대해 적용되며, 자기 회로 내의 자력선(磁力線)으로써 자장의 위치 및 분포를 설명하기 위한 가상의 선이다.

자속밀도(flux density)란 단위면적에 대한 자속수(또는 자력선의 수)를 말한다. 자력선이 코일 또는 자성체로부터 퍼져나감에 따라 자속밀도는 자장안의 각 위치에 따라 변한다. 자속의 양은 코일 또는 자성체의 모든 외부에서 동일하지 않다. 코일로부터 먼 부위에서는 자력선의 수가 감소한다. 이것은 코일 외부의 자력밀도는 코일로부터의 거리에 따라 감소된다는 것이다. 그러나 코일 내부의 경우는 자력선이 균일하게 분포되어 코일의 전부분에 걸쳐 자속밀도가 일정하게 유지된다.

자석도 코일의 자장과 같은 활동을 하며 자력선, 자속, 자속밀도 등을 갖는다. 또한 이것은 재료의 내, 외부가 동일하다.

이상을 요약하면 비자성체 시험편을 시험코일 안에 위치시키면 코일의 자장은 시험체에 와전류를 유도하고, 전류의 흐름은 코일을 감은 방향과 동일한 방향으로 흐르며, 이 흐름은 전류흐름과 직각이 되는 자기장(磁氣場)을 만들고, 이 자장은 자력선 및 자속밀도를 갖게 된다.

비자성체 대신 자성체 시험편을 사용했을 때도 역시 와전류와 와전류 자장을 갖게 되므로 자성체의 자장을 갖게 된다.

시험코일에 걸쳐있는 출력은 코일 자장의 변화에 따라 변화하며, 코일 자장은 시험체의 자속밀도가 바뀜에 따라 변한다. 자성체 시편에서 출력 지시는 전도성과 자석 특성의 변화에 영향을 받는다는 것이다.

나. 투자율

코일의 자속밀도는 자력이며, 이 자력은 코일 안에 위치한 자성체를 자화시킨다. 이 자력은 코일에 적용되는 전류의 양에 따라 변한다.

교류는 변화하는 전류로서, 그 값은 중앙지점에서 시작하여 한 방향에서 반대방향으로 주기적으로 변하는 사이클을 가지며, 자력은 코일을 통과하는 전류의 흐름에 좌우되므로 그 변화에 따라 변한다.

만약 시험코일에 교류를 증가시키면 자력이 증가되고, 시험체 안의 자속도 증가 하므로 와전류도 증가한다.

비자성체에서는 선형 시스템(linear system)이기 때문에 이들은 모두 동일한 방향으로 발생하나, 선형이 아닌 경우는 투자성과 관련되는 것이다.

코일의 자속밀도 즉, 자력(H)을 펼쳐놓은 그래프를 만든 후, 그 중심점을 설정해 한방향의 최대값을 H라 하고 반대방향의 최대값을 H'라고 한다. 이 그래프에 수직 방향의 값을 B라고 하고 자성체 시편안의 자속밀도를 나타낸다. 즉 B는 자성체 안의 자속밀도이고, H는 시험체 안의 자속밀도를 만드는 코일의 자력으로서, H의 모든 값은 B의 값에 대응하여야 한다.

그림 2-10에서 자성체 시편이 시험코일 안에 놓였을 때, B의 값이 H의 값에 따라 어떻게 변하는가를 나타내고 있다. 만약 그림 상에 실제 단위가 있고 H의 특정 값이 주어진다면 시험품의 자속밀도의 대응 값을 찾을 수 있을 것이다. 이때의 H값에 대한 B의 값의 비율을 투자율이라 부르며, 기호μ로 사용하는 것이 편리하다.

$$투자율(\mu) = \frac{자속밀도(B)}{자력(H)}$$

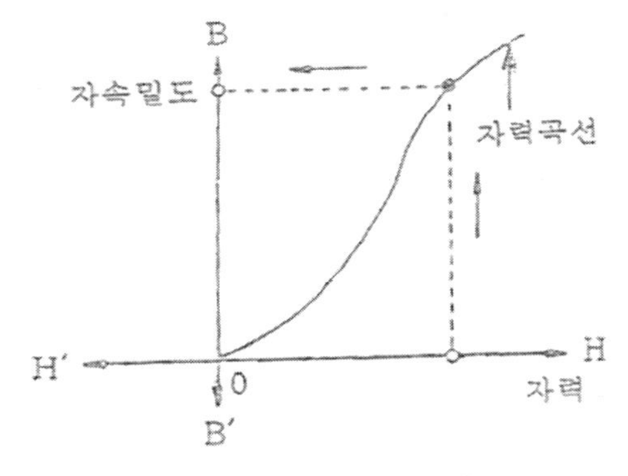

주어진 H의 값에서 수직선으로 그어 자력곡선과 만나는 점에서 수평으로 그어 B의 값을 구한다.

〔그림 2-10〕 자력과 자속밀도(1)

비자성체에서는 자속의 근원이 시험코일뿐이다. 이것은 코일의 자속과 시험품의 자속 사이의 직접적인 관계, 즉 와전류의 총량은 코일의 자속과 시험품의 투자율과 직접적인 관계가 되지만, 자성체의 경우에는 또 다른 추가 인자인 재료 자체의 자속이 존재하며, 이 자속은 재료 안에서 변화하므로 또 다른 와전류가 발생된다.

이상을 종합해 볼 때 시험품의 자력 특성은 와전류의 흐름에 영향을 주며, 와류탐상에서 투자율이 선형이 아니기 때문에 문제로 나타나는 것이다. 다시 말해서 자성체에서는 자력이 동일하게 변하여도 자속밀도는 동일하게 변하지 않는다.

그림 2-11에서 자력을 원점(0)으로 A값까지 이동시키면 B의 값(B_1)은 적은 양으로 발생된다. 이것을 다시 C값까지 이동시키면 B의 값(B_2)는 크게 상승한다. 자력에는 동일하게 변한 OA = AC와의 값이 사용되었으나, B의 값은 동일하게 변하지 않으므로 이것을 선형 시스템이라 하지 않는다. 그러나 비자성체의 경우는 전도성과만 관련됨으로 선형 시스템이라고 간주한다. 또한 자성체의 경우는 자력효과가 전도성 효과보다 매우 크기 때문에 전도성 효과는 찾아볼 수 없다. 따라서, 우리가 시험하기 전에 반드시 시험체가 자성체인가 아닌가를 확인하여야 하며, 투자성은 시험체에 적용된 자력의 값과 함께 변한다는 것을 알아야 한다.

투자율을 일정하게 하기 위해서는 시험체를 포화 상태로 만들어야 한다. 이것은 자력이 변하여도 자속밀도가 더 이상 변하지 않는다는 것을 의미하여, 이러한 조건이 존재할 때를 자기 포화상태라고 한다.

자성체 시험체가 자기 포화상태일 때의 출력지시는 시험품의 전도성 특성에 한하여 영향을 받게 된다. 단, 이때 전제조건으로 치수 요인은 일정해야 한다는 것이다.

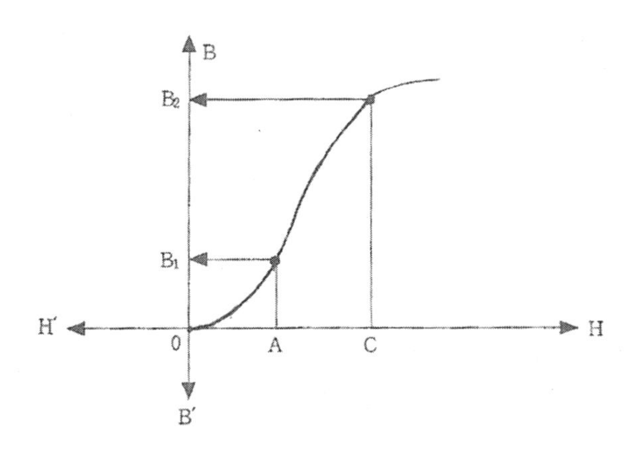

〔그림 2-11〕 자력과 자속밀도(2)

3. 코일- 시험편연결인자

가. 리프트-오프

와류탐상검사에서 자기적 변수로 투자성과 치수변화가 있는데, 치수변화 중에서 크일과 시험체와의 거리는 매우 중요한 요인이다. 코일과 시험편과의 거리가 변하면 출력지시도 변하는데 이것은 다음과 같은 두 가지 조건으로 구별된다.

(1) 코일이 시험체 위에 위치할 때(그림 2-12(a))

(2) 시험체가 코일 안에 위치할 때(그림 2-12(b))

시험체가 코일의 자장을 통해 코일과 연결되기 때문에 시험편과 코일 사이의 관계를 연결 인자(coupling factor)라고 부른다. 연결 인자에는 아래 그림에서 나타나듯 이 두가지로 분류할 수 있으며, 그림(a)에서와 같이 시험체 표면 위에 표면 코일을 사용할 때는 리프트 오프(lift-off)이라는 용어가 사용되며, 대부분의 와류탐상 장비의 패널상에 나타나 있다. 이때 시험체 위의 코일을 교대로 올리고 내림에 따라, 출력 지시의 변화를 주시할 수 있다. 코일과 시험체외의 거리에 따른 출력 지시의 변화가 나타나는 현상을 리프트-오프 효과(lift-off effect)라고 부른다.

리프트-오프 효과라는 용어는 단지 표면 코일을 사용할 때에 한하며, 코일 안에 시험체를 적용하는 경우는(그림-b) 충전율(fill-factor)이라는 용어가 사용된다.

실제 시험 적용상에서 리프트-오프 효과는 문제를 발생할 수가 있다. 예를 들어 시험편 표면이 불규칙하거나 코일과 표면 사이의 압력(검사자의 취급 방법에 의해)이 변한다면 출력지시도 변하기 때문이다.

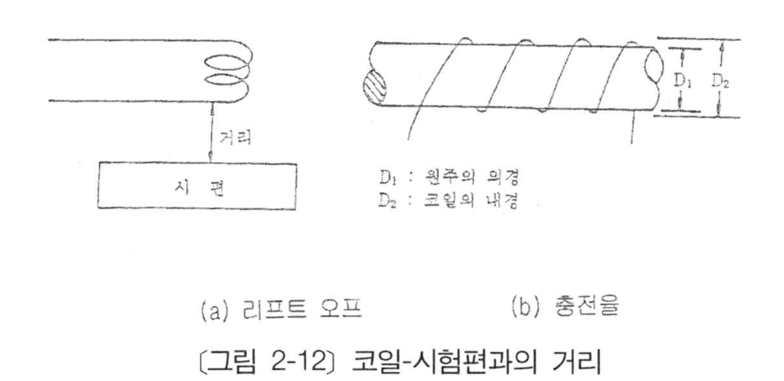

(a) 리프트 오프 (b) 충전율

〔그림 2-12〕 코일-시험편과의 거리

나. 충전율

관통형 코일 또는 내삽형 코일에서는 충전율이라는 용어가 사용된다고 하였다. 즉 충전율이란 원주와 코일간의 거리가 변함에 따라 출력지시가 변하는 경우에 사용되며, 다음과 같은 식으로 나타낸다.

$$충전율(\eta) = \frac{\pi D_1^2}{\pi D_2^2} = (\frac{D_1}{D_2})^2 \times 100(\%)$$

여기서 충전율(η)은 코일과 원주 직경의 비율이고 각각의 지름은 제곱치로 제곱의 비율임을 알 수 있다.

내삽형 코일의 경우에는 코일의 직경(D_2)이 도체관(管)의 내경(D_1)보다 작기 때문에($D_1 > D_2$) 충전율은 $(\frac{D_2}{D_1})^2$가 된다. 고로, 최대의 충전율(fill-factor)은 1(100%)이지만 실제로는 1(100%)이하가 될 것이다.

관통형 코일을 사용해서 와류탐상을 실시할 때 시험코일 내부에 봉 등의 시험체가 정확이 위치하도록 가이드(guide)를 사용하는 것이 보통의 방법이다. 이 가이드는 충전율을 일정하게 유지하기 위한 목적으로 사용된다.

이상에서 설명한 것과 같이 비자성체인 경우, 시험체와 코일과의 관계에서 출력 지시를 변하게 하는 원인으로 전도성과 거리라는 두 가지 변수가 있음을 알 수 있다. 다시 말해서 전도성과 치수변화 라고도 한다. 출력 지시의 변화는 원주경의 변화가 원인일 수도 있고, 원주의 전도성의 변화일 수도 있으며, 또는 두 가지가 동시에 원인이 될 수도 있으나, 일반적으로 충전율은 일정하므로 출력 지시에 영향을 주는 변수는 전도성이다.

다. 모서리 효과

시험코일을 시험품의 끝 또는 모서리에 접근시키면 와전류는 뒤틀리게 된다. 왜냐하면 시험품의 모서리 밖으로 더 이상 흐르지 못하기 때문이다. 이 와전류의 뒤틀림을 모서리 효과(edge effect)라고 한다. 그 효과의 크기가 매우 크기 때문에 모서리 근처에서의 검사는 제한된다. 리프트-오프와는 달리 모서리 효과는 거의 제거할 수 없는 것이다.

코일의 크기를 감소시키면 그 효과를 약간 줄일 수 있으나, 주어진 적용법에서 코일의 크기를 조종 한다는 것은 실용적으로 제한을 받는다.

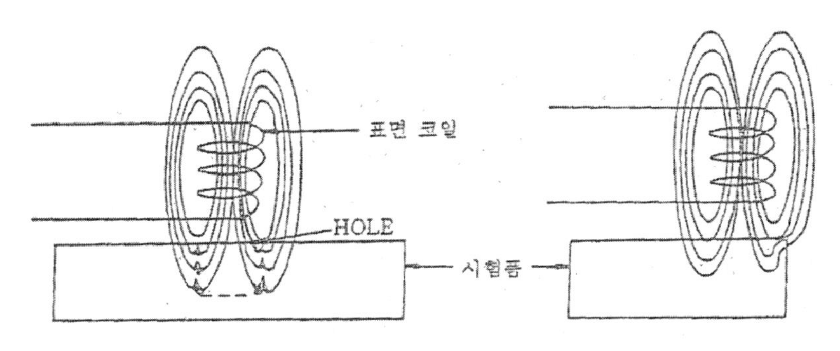

〔그림 2-13〕 모서리 효과(edge effect)

일반적으로 시험품의 모서리로부터 1/8인치(3.2mm) 내에 있는 부위에 대한 검사는 권할 만한 것이 되지 못한다.

이러한 이유로 코일은 일반적으로 짧고 작게 설계된다. 모서리 효과는 구멍, 모서리 관의 끝 등과 같은 부근에서의 측정을 매우 어렵게 한다.

라. 끝부분 효과

끝부분 효과(end effect)는 모서리 효과와 동일한 현상으로, 관통코일 또는 내삽코일에서 코일 길이의 감소 또는 차폐로 인해 감응을 감소시키는 것이다.

표면코일(probe coil)을 이용하여 판을 검사할 때 나타나는 현상을 모서리 효과라 하고, 관통코일 또는 내삽코일을 이용한 봉이나 관제품에서는 끝부분 효과라고 한다.

마. 신호 대 잡음비

신호 대 잡음비(比)란 불필요한 신호에 대한 필요로 하는 신호의 비율이다. 일반적인 잡음의 원인은 시험품의 표면 거칠기, 기하학적 구조 및 동질성의 변화에 있다.

기타 전기적 잡음으로는 용접기, 전기 모터 및 발전기 등과 같은 외적 요인에 기인한다.

기계적 진동은 시험코일이나 시험품의 물리적인 운동에 의한 잡음을 증가시킬 수 있다. 다시 말해서 측정을 정확히 하기 위한 시험체계의 능력을 방해하는 모든 것을 잡음이라 한다.

신호 대 잡음비(signal to noise ratio ; S/N비)는 여러 가지 방법으로 개선 할 수 있다. 만약 시험체가 오염되고 스케일 등이 있으면 시험체를 세척함으로 신호 대 잡음비를 개선시킬 수 있으며, 전기적 방해는 차폐 또는 분리시키거나 위상 식별 및 여과 등으로도 개선시킬 수 있다.

비파괴 검사에서는 보편적인 방법으로 신호 대 잡음비를 최소 3:1로 요구하고 있으며, 이것은 필요한 신호의 지시가 잡음 신호에 대해 최소 3배 이상이어야 한다는 것을 의미한다.

일반적으로 신호 대 잡음비를 증가시키는 방법을 정리하면 다음과 같다.

1) 주파수(frequency)의 변화; 검사품의 재질이나 검사 속도, 및 관련 code 등을 고려해서 최대 감도를 얻도록 f/fg를 선정한다.
2) 필터 (filter) 회로 부가 ; 잡음제거 장치의 설치
3) 위상 식별(phase discrimination) ; 동기 검파기
4) 충전율 및 리프트 오프 개선 ; 충전율을 1에 접근시키거나 리프트 오프 효과(lift off effect)가 일정 값을 유지하도록 한다.
5) 잡음 요인의 개선 ; 운송기기 진동제거, 탐촉자 진동 제거 등의 전기적 잡음을 일으키는 요인을 개선한다.

제 4 절 와류탐상 시스템과 신호의 분석

1. 개요

와류탐상검사에 직접적으로 연관되는 전기적인 기본 개념을 이해하는 것은 매우 중요하기 때문에 관심을 갖고 검토되어야 한다.

와류탐상검사에서 시험체로부터의 정보는 시험코일의 특성을 통해 얻으며, 출력지시는 1차 코일에서 직접 얻을 수도 있고 2차 코일에서 얻을 수도 있다.

코일은 다음 두 가지의 기본 요인을 갖추고 있다. 즉 전류(I)와 전압(V)이다. 이 두 요인은 서로 취하기도 하고 제거하기도 하며, 전류 흐름에 대한 코일의 총 저항을 임피던스(impedance)라고 한다. 이러한 사실을 가지고 시험체에 대해 다음의 세가지 기본 시스템을 검토하기로 한다.

(1) 임피던스 시험(impedance test)
(2) 위상분석(phase analysis)
(3) 변조분석(modulation analysis)

2. 임피던스 시험

임피던스 시험은 그 시험 방법이 가장 간단하다. 대부분의 휴대용 전도도 측정기와 불연속 검출기는 임피던스의 변화를 측정하는 간단한 방법이다. 임피던스 시험법은 위상변화를 측정하는 것이 아니다.

임피던스 시험은 임피던스 변화에 영향을 주는 많은 요인이 있는 반면 아주 간단하고 직접적인 방법이다.

임피던스의 변화는 시험품의 결함에 의해서만 일어나는 것이 아니며, 검사품의 전도율, 투자율, 검사품의 형상변화, 검사품과 코일의 거리 등에 의해서도 발생된다. 이것들을 이용하면 재질 판별이나 크기를 측정하는 것도 가능하나, 반면 결함 검출을 목적으로 할 때에는 결함에 의한 신호에 여러 방해인자가 잡음으로 중첩되기 때문에 그의 분리가 중요한 과제가 되고 있다.

가. 코일과 코일의 임피던스

공심(空心) 코일의 리액턴스를 이용하여 정규화(正規化)된 저항과 리액턴스의 관계를 알아보기로 하자. 그러나 이 사항을 명확히 이해하기 위해서는 많은 기초 지식이 필요하지만 여기서는 직관적으로 알기 쉬운 상호 유도로 결합된 폐전로(閉電路)를 갖는 두 코일의 임피던스를 모델로 설명하여 이해를 돕기로 한다.

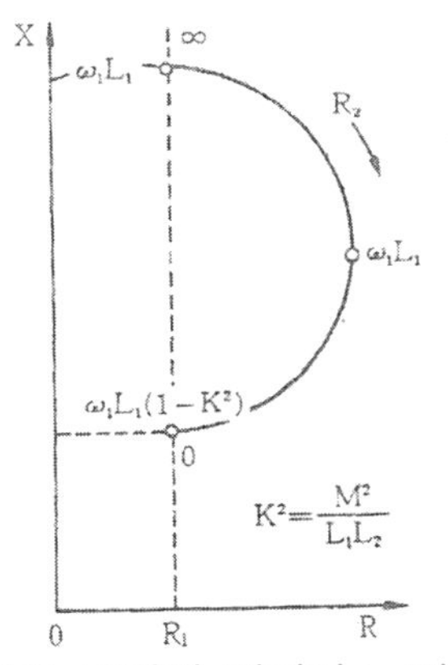

〔그림2-14〕 코일의 임피던스 평면

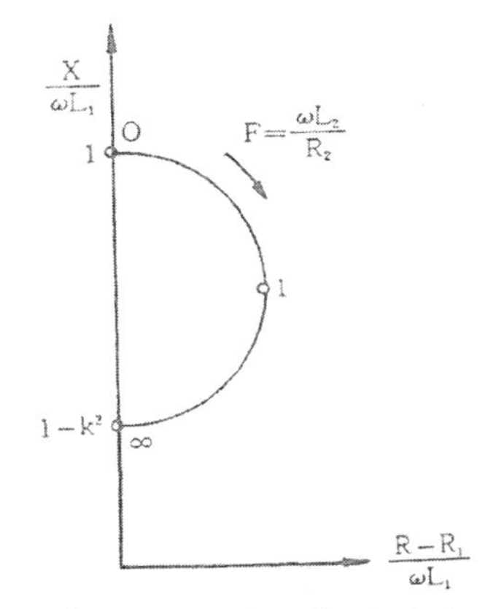

〔그림 2-15〕 정규화 임피던스 궤적

출발점은 공심 코일이며, 이 코일에 접근시킨 제2코일과의 상호 인덕턴스를 알게 되면, 이들 두 코일의 결합 세기를 알 수 있게 된다. 다음에 공심 코일의 리액턴스를 이용하여 정규화 임피던스를 정의할 수 있다. 또 결합의 강도가 같으면 궤적은 동일한 반원이 되며, 또 반원상의 유일한 파라미터로써 정규화 주파수가 도입 될 수 있다.

코일 1과 코일 2를 접근시켜 놓고, 코일 1에는 교류 전원을, 코일 2에는 부하(저항체)를 연결할 때 코일의 전류는 부하와 함께 증가한다. 이것은 코일 1과 코일 2의 상호 유도 작용이 일어나 2개의 폐전로가 교류적으로 결합되어 있기 때문이다.

이때 두 개 코일의 결합 강도를 나타내려면 다음 식으로 정의되는 결합 계수(K)를 이용한다.

$$K^2 = M^2/L_1L_2$$

여기서 L_1L_2는 코일 1, 2의 자기 인덕턴스, M은 두 코일간의 상호 인덕턴스이다.

또한 K는 1보다 작은 정수이며, 무차원수이다. 그래서 코일 1의 권선 저항을 R_1, 코일 2의 부하 저항을 R_2(권선 저항을 포함)로 하여 코일 1의 단자로부터 본 임피던스를 직각 좌표로 표시하면, 부하 저항 R_2를 ∞(개방)부터 0(단락)까지 감소 시켰을 때의 궤적은 그림 2-14와 같이 1개 원의 오른쪽 반이 되며, 그 원의 직경은 $K^2\omega L_1$이다. 즉 코일 1의 겉보기 리액턴스 X는 ωL_1부터 단조롭게 감소되어 $(1-K^2)\omega L_1$에 이르며, 한편 겉보기 저항에는 원래의 R_1으로 되돌아간다. 단 부하 저항 R_2는 코일 2의 권선 저항보다 작아서는 안되므로 엄밀히 말한다면 R_2는 0이 되지는 않는다. 이와 같이 임피던스 평면상의 궤적은, 직관적이므로 이해하기는 쉬우나, 코일 1의 권선 저항 R_1, 자기(自己) 임피던스 L_1 및 주파수 등이 달라질 때마다 다른 직경의 반원을 그리지 않으면 안되며, 상호 비교도 곤란하다. 여기서 다음과 같이 코일 1만 존재할 때의 리액턴스 ωL_1으로 정규화 임피던스의 궤적을 표시하면, 그림 2-15와 같이 횡축을$(R-R_1)/\omega L_1$, 종축을 $X/\omega L_1$로 한 좌표가 된다.

이와 같이 하면 반원의 직경은 반드시 종축과 겹쳐 상단은(0,1), 하단은(0,1-K^2)로 되며 직경의 크기는 K^2가 되어 전부 K^2에만 의존한다.

여기서 반원상의 파라미터로 R_2 대신에

$$F=\omega L_2/R_2(\text{정규화 주파수})$$

를 사용하면 반원의 상단이 F=0, 중앙이 F=1, 하단이 $F=\infty$에 각각 대응한다.

정규화 임피던스에 대해 독립된 파라미터는 K^2와 F 두 개 뿐이며, 주파수를 바꾸었을 때의 궤적도 위와 같이 반원으로 된다. 그것은 정규화 주파수 F가 주파수 ω/2X에 비례하고 부하 저항 R_2에 반비례하도록 정의되어 있기 때문이다. 이상에서 서술한 상호 유도회로의 정규화 임피던스 궤적과 두 개의 파라미터 K^2,F의 구성을 잘 기억해두기를 바란다.

나. 코일의 임피던스 궤적

공심 코일을 도체에 접근시키면 코일의 저항은 증가하고 인덕턴스는 감소한다. 이 현상은 도체 내에 발생하는 와전류 때문에 손실이 늘어나 거기에 해당하는 만큼의 리액턴스가 감소되어 코일에 전류가 쉽게 흐르는 것을 의미한다.

이와 같은 코일의 겉보기 임피던스(R,X)를 벡터적으로 표시하면, 주파수가 높아짐에 따라 공심 코일의 리액턴스는 그에 비례하여 점점 커져서 곤란하게 되며 또한 상호 비교도 어렵다. 여기서 공심 코일(도체를 멀리했을 때)의 리액턴스 ωL_0로 정규화하여 표현하면 편리하다.

임피던스의 평면은 그림 2-15에 표시한 것과 같이 종축에는 $\omega L/\omega L_0$(정규화 리액턴스), 횡축에는 $(R-R_0)/\omega L_0$(정규화 저항)을 나타낸 것이며, 이들은 똑같이 무차원수로서 반드시 1보다 작다. 이와 같이 하여 각 주파수에서 산출한 정규화 임피던스 직각 좌표계에 벡터로 표시하면 종축상의 점(0.1)을 기점으로 하는 한 개의 곡선을 얻을 수 있다. 이 곡선은 반원에 가까운 모양으로 주파수를 높여가며 종축상의 점으로 돌아온다. 이 궤적을 편의상 코일 임피선스 궤적이라고 부른다.

그 중에서 긴 원주도체(환봉)가 동심에 포함될 경우(긴 솔레노이드와 합친 관통형 코일의 경우), 코일의 임피던스를 나타내는 곡선의 점은 정규화 주파수(F)와 충진율(= $\dfrac{a^2}{b^2}$, a:

코일의 경, b:환봉의 경)에 의해서 이 그림으로부터 코일의 임피던스 및 그의 전도도, 크기에 의한 변화의 모양을 들 수 있다.

$F \equiv \pi f \mu_0 \sigma a^2$

여기서 f : 주파수
μ_0 : 투자율
σ : 전도율
a : 코일의 경

여기서 정규화 주파수는 검사 주파수의 척도(尺度)로 사용되며, 코일의 경 및 도체의 전도율 σ에 의해서 정해지므로, 코일의 길이 l이나 도체와의 결합 상태에는 일체 관계가 없다.

즉 코일에 착안한 파라미터이므로 모든 시험용 솔레노이드 코일에 대하여 공통으로 사용된다. 이런 관계로 관통형 코일에서는 종래 Förster가 도입한 f/f_g가 널리 사용된다. 여기서 f_g는 한계 주파수(限界 周波數)이다.

$$f_g = \frac{1}{\pi \mu_0 \sigma b_2}$$

$$\frac{f}{f_g} = \pi f \mu_0 \sigma b^2 = (\frac{b}{a})^2 F$$

여기서 a : 코일의 경
b : 환봉의 경

또한 관통형 코일일 경우에는 파라미터 F 대신에 f/f_g를 사용하는 편이 닮은꼴에 가까운 배열이 되어 보기 쉽다.

그림 2-15는 비자성체 원주도체의 임피던스 곡선을 표시한 것이다.

첫째, 긴 원통도체를 동심에 포함할 경우, 주파수가 어느 정도 이상 높으면 같은 외경의 원주도체일 때와 겹쳐지지만 중간의 주파수 영역에서는 오른쪽으로 불룩 나와 있다. 이 경우 F 및 f/f_g는 원주도체와 같다.

둘째, 긴 원통도체에 동심이 포함될 경우(내삽코일의 경우)도 대체로 같은 모양의 코일 임피던스 궤적을 얻을 수 있다. 이 때 $l/a, a/b, F$이 세 가지가 파라미터로 되는 정규화 임피던스가 표시된다. 여기서 b는 원통도체의 내부의 반경이다.

셋째, 넓은 도체 평면에 수직을 대향하는 경우, 코일과 도체와의 위치 관계를 나타내는 파라미터는 정규화 거리 D/a(코일-도체간의 거리(D)를 코일의 반경(a)으로 나눈 것)이다. 이 경우는 모든 프로브 코일에 해당하는 것으로 궤적상의 파라미터 중의 하나로 정규화 주파수(F)를 사용할 수밖에 없다. $l/a, D/a, F,$ 이 세 개의 파라미터로 정규화 임피던스가 결정된다.

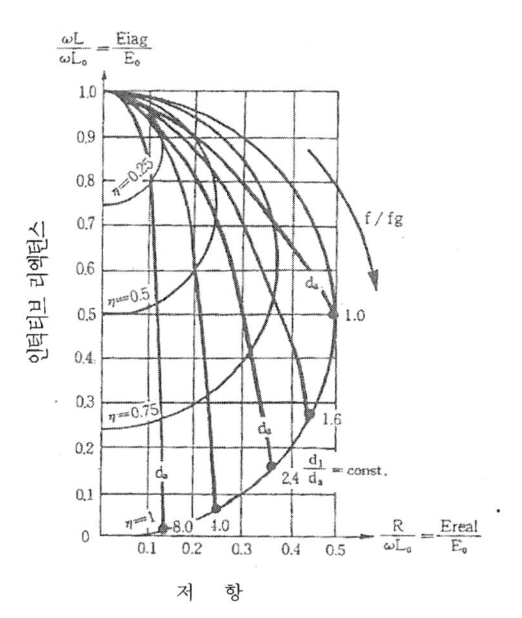

〔그림 2-16〕 비자성 원주 도체의 임피던스 곡선(η: 충전율)

다. 코일 임피던스에 영향을 미치는 인자

(1) 검사 주파수

와류탐상검사를 할 때 이용하는 교류전류의 주파수를 검사 주파수라 부른다. 전자 유도 법칙에 따라 일반적으로 주파수가 높아지면 와전류의 발생이 활발하게 된다. 따라서 와전류에 의한 반발자계가 커지므로 코일 임피던스는 감소한다.

(2) 시험체의 전도율

정규화 주파수를 나타낼 때 사용하는 변수이며, 주파수와 같이 와전류의 침투깊이에 영향을 준다. 전도율이 높으면 시험체 표면의 와전류 발생은 높아지나, 내부로의 와전류의 밀도는 감소한다. 시험체의 전도율이 높아지면 임피던스는 시계방향으로 변화하고, 최종적으로는 $\frac{f}{f_g}$가 무한대로 대응하게 된다. 이것은 코일의 자속이 와전류가 만드는 자속에 의해 없어져 리액턴스가 '0'이 되는 것을 말한다.

(3) 시험체의 투자율

비자성체에 있어서 투자율은 진공의 투자율($4\pi \times 10^7 H/m$)이므로 임피던스의 변화에 큰 영향을 주지 않지만, 강자성체일 경우에는 매우 큰 영향을 미친다. 투자율이 크면 와전류의 침투를 방해하고 균일한 신호를 얻을 수 없다. 강자성체는 자기포화 시켜서 검사한다. 투자율이 커지면 $\frac{f}{f_g}$에 의한 임피던스의 궤적의 변화가 커진다.

(4) 시험체의 형상과 치수

원주형의 도체를 내부에 갖는 솔레노이드 코일(관통코일이라 한다)의 경우, 도체의 외형이 변화했을 때에도 시험코일(와전류시험의 센서로서의 코일을 시험코일이라 한다)과 도체의 자기적 결합도가 변화하기 때문에 시험코일의 임피던스는 변화한다. 관통코일의 경우 이 도체의 외형과 시험코일의 크기의 관계를 나타내는데 충전율(fill factor,η)을 이용하고 있다. 충전율이 작아지면 임피던스 곡선 궤적의 루프가 작아진다. 이는 전도율의 변화 등으로 시험코일의 임피던스 변화가 작아지며, 와전류의 감도가 낮아진다는 것이다.

(5) 코일과 시험체의 상대위치

일반적으로 원주형의 시험체를 관통시험코일로 검사할 때, 코일과 시험체가 편심이 되지 않게 이송하는 것은 어렵다. 도체는 코일 중에서 편심이 되고 코일에 대해 가까워지기도, 멀어지기도 한다. 이와 같은 코일과 시험체 위치의 변화에 의해서도 임피던스의 변화가 발생하는데, 여기서 큰 잡음을 발생한다. 이것을 탐촉자 흔들림(wobble)잡음이라 한다. 이것은 관의 시험체에 이용하는 내삽코일에도 동일하다. 평면 시험체에 이용하는 표면코일(probe coil, surface coil)의 경우에는 코일과 시험체가 떨어지기도 하고 기울어지기도 하여 리프트 오프가 발생한다. 이 경우에도 큰 임피던스의 변화를 일으키기 때문에 잡음이 생긴다. 이를 리프트 오프효과라 한다.

이상과 같이 편심이나 탐촉자 흔들림(wobble), 리프트 오프에 의한 잡음은 통상 상당히 크기 때문에 어떠한 신호처리를 통해 억제할 필요가 있다. 물론, 이와 같은 임피던스 변화를 적극적으로 이용하여 거리측정이나 도막두께 측정을 하는 경우도 있다.

(6) 검사 속도

자동탐상에서 시험체를 고속으로 이송하는 경우에는 와전류탐상에 영향을 주기 때문에 주의를 요한다.

첫째, 시험코일이 만드는 자계 속을 시험체가 이동하면 시험체 내에서 속도에 비례한 기전력이 발생한다. 이것이 와전류 흐름의 방향을 바꾸기 때문에 속도가 빨라지면 결합에 의한 임피던스 변화가 시험체가 정지해 있을 때와 다르다. 이것을 속도효과(drag effect, speed effect)라 부른다.

둘째, 와전류탐상기에 필터가 들어 있는 경우이다. 결함에 의해 발생하는 신호는 검사 속도가 높아지면 그 주파수 성분도 높아진다. 따라서 필터의 주파수 특성의 설정이 검사 속도에 부적당한 경우는 결함신호가 출력되지 않을 수도 있다. 그러므로 필터를 이용하여 잡음을 제거하고자 할 때에는 결함크기의 시험체의 이송속도를 고려하여 필터의 차단주파수를 결정해야 한다.

셋째, 탐상신호를 기록하는 펜 레코더 등의 기록계의 응답속도이다. 탐상속도가 빠르면 결함신호의 주파수가 높아지기 때문에 기록계가 응답할 수 없어 결함신호가 기록되지 않는 경우가 있다.

(7) 결함

상기에서 거론한 인자는 이론적 해석에 의해 그 영향을 계산할 수 있으나 시험체 중에 있는 불연속부의 영향은 인공결함이 있는 시험편으로 조사되고 있다. 결함으로 인한 임피던스변화는 일반적으로 시험주파수에 의해 그 변화의 크기, 변화의 방향(위상) 차이를 볼 수 있다.

라. 와류탐상검사의 임피던스법

와류탐상검사에서 임피던스법을 사용할 때 3대 변수가 출력 지시에 동시에 나타나므로, 어느 변수가 지시의 변화를 가져오는지 알 수가 없다.

예를 들어 시험체가 코일 안에 놓였을 때 3대 변수는 코일을 통과한 전류 안에서 임피던스의 변화에 영향을 주는 원인이 되기 때문이다.

만약 2개의 변수가 상수가 되면, 나머지 제3의 변수가 변화의 원인이 된다고 가정할 수 있다. 즉 시험체가 비자성체이면 투자율은 상수로 간주되고, 전도성과 충전율이 임피던스에 영향을 준다.(표면코일 시스템 사용 시는 충전율 대신 리프트-오프 효과가 된다).

임피던스 시험법은 이와 같이 변수를 분리할 수 없는 것이 문제가 되기도 하나, 시험 여건에 따라 좌우될 수 있다. 또한 시험체를 시험 코일 안에서 사용할 때 충전율을 상수로 유지시키면 치수변화는 전도성 변화에 비해 매우 적기 때문에 무시할 수도 있다. 반면 불연속부가 미세한 경우, 변화의 결과가 매우 적을 수도 있다.

치수변화가 존재한다면 이것은 불연속부의 변화를 가리우거나 무시하게 될 수도 있다. 이런 조건하에서 임피던스 시험법은 적절한 검사 결과를 가져올 수 없다. 임피던스 시험법이 변수를 분리할 수 없기 때문에 위상 분석법등과 같은 다른 방법을 사용해야 한다.

3. 위상분석

가. 위상분석(phase analysis)의 기초

앞 절의 임피던스 벡터도에서 전압 V와 전류 I의 위상차를 θ라 하였고 위상차(θ)는

$$\theta = \tan^{-1}(\frac{V_L}{V_R}) = \tan^{-1}(\frac{\omega L}{R})$$

로 구해진다고 하였다.

임피던스 시험법으로는 변수를 분리할 수 없기 때문에, 변수를 분리하기 위해서는 다른 연관관계를 찾을 필요가 있고, 그 관계가 바로 전압과 전류 사이에 존재하는 위상차를 이용하는 것이다.

초기의 기본관계는 전류(I)와 임피던스(Z)와의 사이에서 있었고, 임피던스가 변하면 전류도 변한다는 것이다. 또한 전압도 중앙의 어떤 값을 기준으로 상하로 변하며, 이것은 일정 시간의 주기를 갖는다고 하였다.

전압이 변할 때 전류도 역시 변하며, 전류가 전압과 함께 오르고 내릴 때, 우리는 전류는 전압과 동상(in-phase)이라고 한다. 위상분석은 코일이 발전기에 연결되었을 때 전류가 전압에 대해 이상(out of phase)을 기초로 하는 것이다.(그림 2-17 참조)

코일 안에서 위상 관계를 생각하기 전에, 단지 저항이 회로 안에 있을 때 전류는 전압에 동상(同相)이 된다는 것을 아는 것이 중요하다. 저항 대신에 코일을 위치시키면 코일은 저항을 갖고 있지 않고, 단지 인덕턴스만 갖고 있다고 가정하면 인덕턴스(L)는 전류 안에서 변화를 반대하는 일정한 특성을 갖고 있으며, 인덕턴스에 주파수를 곱한 리액턴스(X_L)로 나타난다.

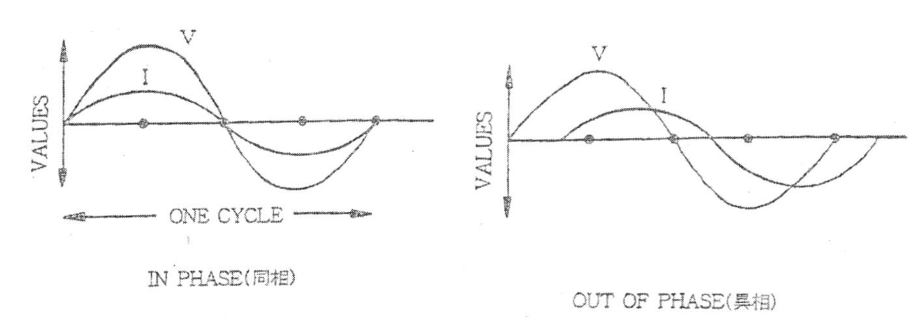

〔그림 2-17〕 동상(同相)과 이상(異相)의 전류, 전압 곡선

어떤 경우에는 이 리액턴스가 코일의 저항보다도 더 클 수가 있으며, 이런 조건하에서 전

류는 그림에서 보는 바와 같이 90° 만큼 전압에 지연됨을 알 수 있다.

또한 시험체의 출현으로 코일의 자장이 변하면 코일의 인덕턴스도 변하고, 전류와 전압 사이의 지연량도 변한다.

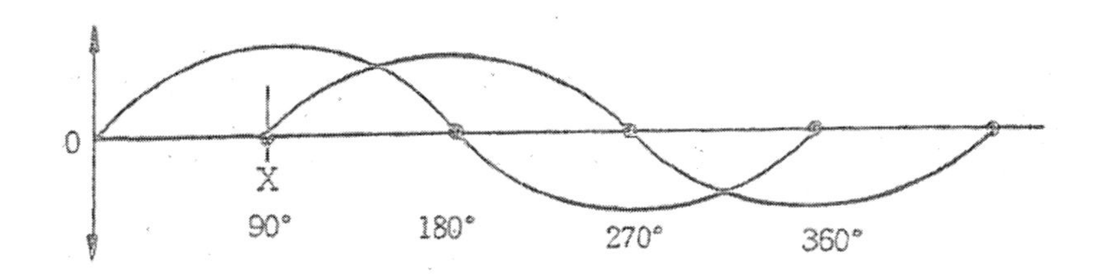

비고 : 거리OX는 시간의 지체(time lag)를 나타낸다.

임피던스 시험법에서는 단지 전류의 변화만을 얻는 것이나, 와류탐상검사에서의 문제는 어떻게 시험 코일 이외에서 더 많은 정보를 얻는가 하는 것이므로 이를 위해 발전기에 두 개의 저항(R_1, R_2)을 연결시켜 본다. 각각의 저항계를 통해 흐르는 전류는 저항계에 걸쳐 전압(V_1, V_2)가 존재하며, 두 전압의 합($V_1 + V_2$)는 적용전압(V)과 동일하며 두 전압은 적용전압과 동상(同相)이 된다(그림 2-18(a) 참조).

그러나 저항계 대신에 코일을 대체시키면 역시 두 개의 전압을 얻을 수 있으나, 이때 전압의 합은 전압과 동일하지 않다. 그것은 두 개의 전압이 이상(異相)이 되기 때문이다(그림 2-18(b) 참조).

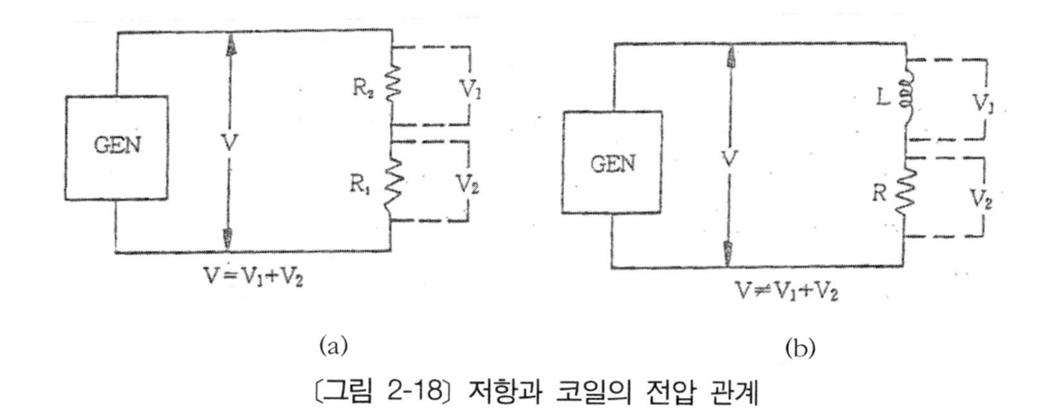

〔그림 2-18〕 저항과 코일의 전압 관계

와류탐상검사에서는 CRT(cathod ray tube)를 종종 사용하여 CRT 스크린 상에 파장 형태가 변하고 전후로 이동하는 것을 볼 수 있다.

지시 모양을 판독하기 위해서는 파형이 어떻게 변하는 가를 알아야 할 필요가 있다.

이러한 변화는 코일에 걸려 있는 전압이 저항에 걸려 있는 전압에 대해 이상(異相)이라는 사실을 기초로 하는 것으로 그림 2-19에서 나타낸 것과 같이 두 개의 전압 파형을 동일 그래프상에 그린다면 코일에 걸려 있는 전압(V_L)은 저항에 걸려 있는 전압(V_R)에 90°를 앞선다.

상기에서 코일은 어떠한 저항도 갖고 있지 않다고 가정하였고, 이제 외부 저항을 버리고 코일이 저항을 갖는다고 생각하면 코일은 코일이 리액턴스(X_L)를 나타낼 것이며, 코일의 저항에 걸려있는 전압은 X_L에 걸려있는 전압과 분리되는 것을 측정할 수 있다. 왜냐하면 X_L에 걸려있는 전압은 코일을 통해 흐르는 전류에 이상(異相)이 되고 회로상에 저항이 없다면 이 전압은 전류를 90° 앞서게 된다.

그러나 실제적으로 저항은 항상 존재하는 것이기 때문에 90° 보다는 위상차가 적을 것이다. 또한 X_L에 걸려있는 전압이 전류를 앞서며, 저항에 걸려 있는 전압은 전류에 동상(同相)이므로 X_L에 걸려있는 전압은 저항에 걸려있는 전압을 앞선다.

이제까지의 사항을 정리해보면 임피던스 시험은 전류의 변화를 측정하는 것으로써, 시험체에 의해 코일의 임피던스가 영향을 받아 변하면 전류도 변하여 지시계상에서 그 변화를 읽을 수 있다. 그러나 임피던스의 변화는 3대 변수, 즉 전도성, 투자성 및 치수변화에 의해 모두 변할 가능성이 있으므로 원인을 분리할 수가 없다.

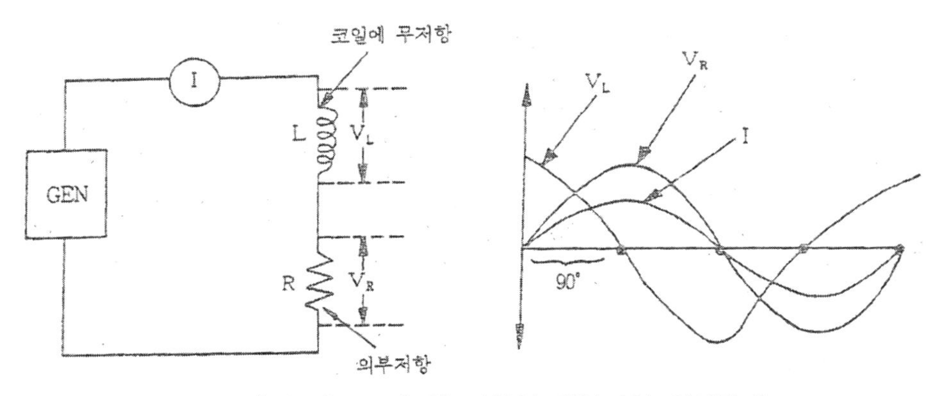

〔그림 2-19〕 코일 및 저항의 전압과의 위상관계

그래서 더 많은 정보를 얻기 위해 CRT 스크린을 사용하는 것이다. 만약 임피던스가 변하면 CRT 지시도 변하지만 중요한 것은 CRT 지시에서 변수를 분리할 수 있다는 것이다. 이 것은 임피던스 위상각(impedance phase angle)이라 불리 우는 것을 근거로 한 것이며, 만약 이 각도가 변하면 파형이 움직이고 이것이 바로 위상분석(phase analysis)의 기초가 되는 것이다.

나. 위상각

우리는 이미 임피던스 벡터도에서, 임피던스(Z)는 리액턴스(X_L)와 코일 저항(R)의 합인 것을 보았으며, 실제 회로 상에서 X_L과 R 모두 실제 값을 갖고 있으며, 주어진 회로에서 X_L과 R의 값을 그래프 상에 나타내어 이 두 값이 만나는 점을 임피던스(Z)라고 정의하였다.

그림 2-20에서 전류와 전압의 위상차를 나타내는 각도(θ)를 우리는 위상각(phase angle)이라 불렀다. 이 각도는 임피던스의 변화에 따라 변한다. 왜냐하면 주어진 값 X_L과 R에 대해 분명한 위상각이 존재하기 때문이며, X_L이 증가하면 위상각도 증가한다.

또한 만약 저항이 없다면 위상각은 90° 가 될 것이나, 저항은 항상 존재하므로 위상각은 언제나 90° 보다는 적은 값이 될 것이다. 자연적으로 어떤 시험코일의 X_L이 매우 적다면 위상각도 역시 적을 것이며, 이를 회로에서 전류 지연(current lag)이 적다고도 말한다.

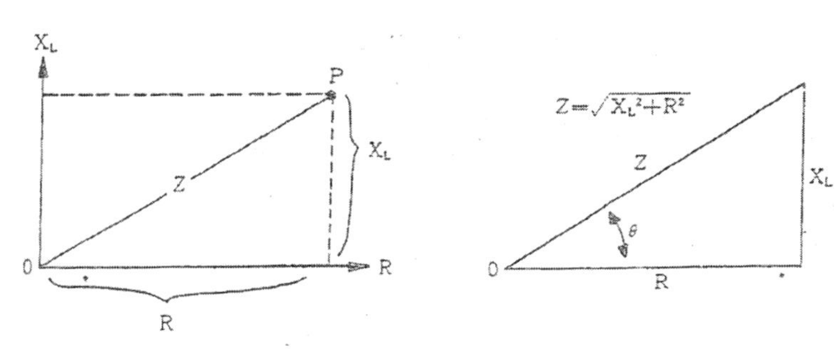

〔그림 2-20〕 임피던스 벡터도

이번에는 시험체가 시험코일을 통과할 때 시험체의 특성이 위상각에 영향을 주는가를 검토하기로 하자. 시험체의 특성이 변하면 위상각도 변한다.

그림 2-21(a)에서 시험코일이 발전기에 연결되어 있고 전압은 발전기의 교류 출력 전압이며, 시험코일을 통해 흐르는 교류 전류의 근원이 된다.

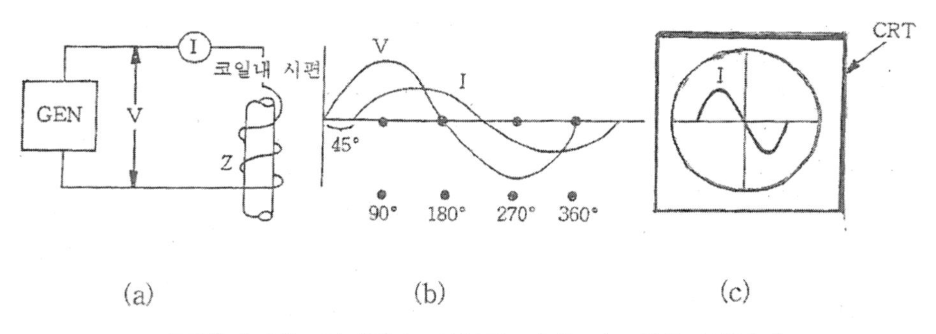

〔그림 2-21〕 임피던스 위상각 발생 및 파형(위상분석)

코일은 인덕턴스를 갖고 있기 때문에 전류는 일정의 위상각을 갖는 발전기 전압을 지연시킬 것이며, 이 각도가 임피던스의 위상각이다.

또한 그림(b)에서 우리는 회로를 통해 흐르는 발전기 전압과 전류를 볼 수 있다.

이것은 전류가 전압에 대해 45° 만큼 지연되고 있음을 나타내므로 임피던스의 위상각이라고 한다.

그림(c)에서는 그림(b)에서의 전류(I)를 CRT에 나타낸 것이다. 파형은 CRT 스크린상의 수직선의 양 측에 각각 반쪽으로 놓여 있다. 만약 위상각이 변한다면 이 파형은 좌우 측 어느 쪽으로든 측면으로 이동할 것이며, 시험체의 특성이 변할 경우에도 측면으로 이동할 것이다.

이상에서 우리는 시험체의 특성이 변화를 일으키는 두 가지 방법을 알아보았다. 즉 임피던스 시험법으로 회로를 통해 흐르는 전류를 지시계로 나타내어 코일의 임피던스가 변하면 지시값이 변하는 방법과, 위상 분석법으로 전류의 값은 관심이 없고 대신 파형의 이동으로 위상각이 변하는 것을 관찰하는 방법인 것이다.

다. 위상 분석법

여기서 위상 분석법의 필요성은 임피던스 시험법으로 분리할 수 없는 변수(투자성, 전도성, 치수 변화)를 위상 분석으로 분리할 수 있다는 것이며, 이것은 투자성과 치수 변화가 리액턴스(X_L)와 평행일 때 코일의 저항은 전도성과 평행이라는 사실에 근거를 둔 것이다.

위상 분석법에서는 출력 지시를 2차 코일에서 종종 얻는다. 1차 코일(P_L)은 시험 봉에 자장을 적용하는데 사용되고, 이 자장은 봉에 와전류를 유도하며, 2차 코일(S_L)에 전류를 유도한다. 봉에서 와전류의 흐름은 1차 및 2차 코일 모두에 영향을 주는 자장을 발생시키고, 2차 코일에서의 전류 흐름은 1차 코일의 자장, 와전류 그리고 2차 코일의 임피던스를 얻는 결과가 된다

그림 2-22에서 2차 코일의 전류가 저항을 통해 지나가며, 저항을 통해 흐르는 전류는 저항에 대한 전압을 발생시키고 이 전압은 전류와 저항의 값을 만들어내며 V = IR이라 표시한다. 저항에 대한 전압은 CRT에 적용되며, 이때 전압은 저항을 통해 흐르는 전류에 동상(同相)의 상태가 된다.

또한 CRT상에 나타나는 전압 파형은 저항을 통해 흐르는 전류 파형으로 볼 수 있다. 또 저항에 교차된 전압은 CRT에 적용되는 전압이다.

주의할 것은 2차 코일 역시 저항에 교차하여 연결되어 있으며, 코일에 교차된 전류는 CRT에 적용된 전압과 동일하다는 뜻이다.

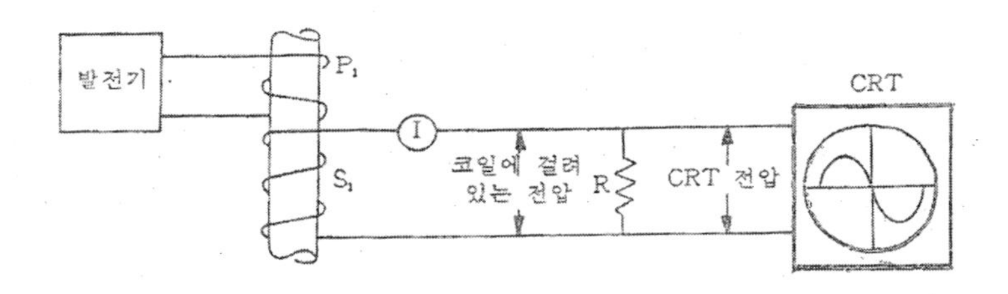

〔그림 2-22〕 위상분석법 연결도

2차 코일(S_L)은 X_L과 R로 구성되며, X_L 또는 R의 어느 쪽을 통해 흐르는 전류도 전압을 발생시킨다. 이때 X_L에 대한 전압(V_1)은 전류의 생성과 동일하고 또한 코일의 저항 R에 대한 전압(V_2)도 동일하며 이 두 전압은 90° 의 이상(異相)이 된다. 이 두 전압을 코일에 교차한 총 전압으로 합할 때에는 특정 방법을 사용하여야만 가능하다.

이때 전압(V)은 CRT에 적용되는 전압이며, 2차 코일에서의 전류가 교류이므로, 저항에 교차되어 발생되는 전압도 교류 전압이 된다.

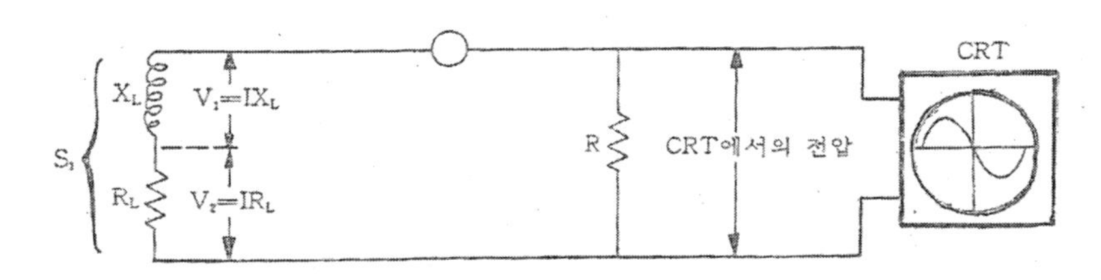

〔그림 2-23〕 2차 코일의 전압 관계도

CRT는 전자(電子)가 CRT 스크린에 충돌 할 때 빛을 발생하는 장치로서 파형(waveform)을 나타내는 역할을 하며, 파형이 튜브 내에서 수평과 수직으로 변화함을 보여준다. 수직판(vertical plate)은 상하로 움직이고, 수평판(horizontal plate)은 좌우로 이동하는 역할을 한다.

1 cycle의 교류 전압이 CRT에 적용되면 수직선이 스크린을 가로질러 나타나고, 2차 전압이 수평선에 적용된다. 이 2차 전압을 시간축 전압(timing voltage 또는 sweep라고도 함)이라 하고, 수직판에 적용된 교류 전압과 동일한 시간을 갖는다. 이 시간도 1사이클이 되는데 필요한 시간이 된다.

그림 2-24에서 보는 바와 같이 CRT는 교류 발전기에 연결되어 있다. CRT의 수직판은 저항을 통해 나타나는 교류 전압을 받아들이고, 이 전압은 발전기 전압과 동일하며, CRT의 수평판은 시간 축 전압을 통해 발전기로 연결된다.

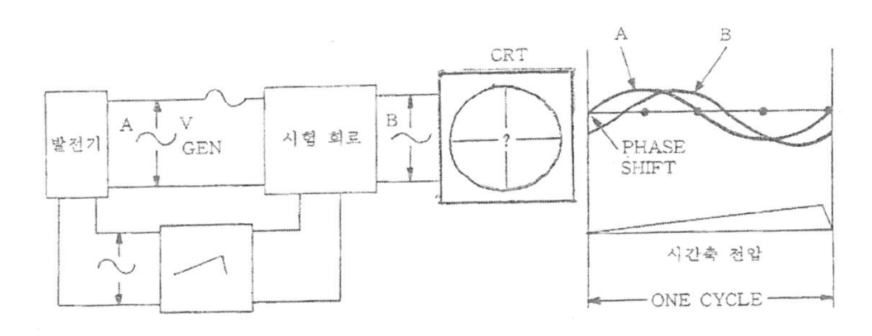

〔그림 2-24〕 발전기, CRT 및 시간 축 전압 연결도

시간 축 전압이 발전기 전압(파형 A)과 같은 시간에 조종되면, CRT 스크린에는 A파형이 나타난다. 시험 회로가 위상 이동의 원인이 될 때 파형 A는 다른 파형(예로 들면 파형 B)으로 되며, 파형 B도 파형 A와 동일 시간을 갖지만 시간 지연을 나타내어 파형 A와는 다른 모양으로 나타난다. 즉 와류탐상검사의 한 방법인 위상분석법은 위상 이동의 결과로 나타나는, 파형의 변화에 기초를 두는 것이다.

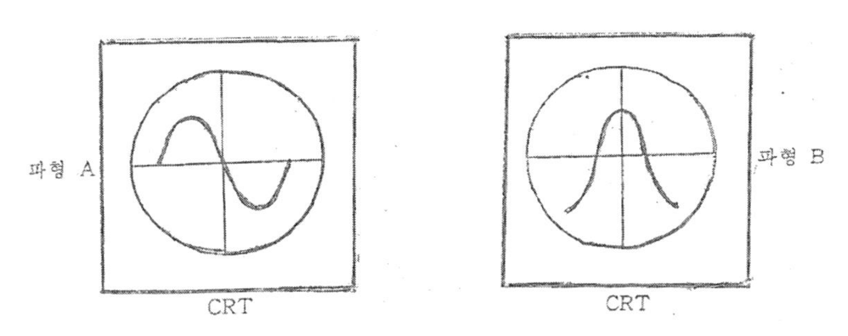

〔그림 2-25〕 위상 이동에 의한 파형 비교

4. 변조분석

가. 변조분석의 기초

임피던스 시험법은, 시험체의 특성의 변화에 따라 코일의 임피던스가 변한다는 사실에 기초를 둔 것이다. 즉, 임피던스의 변화는 시험 코일에 흐르는 전류가 변하여 지시모양을 나타내는 것이다. 그러나 이 방법은 3대 변수의 분리가 어렵다는 단점이 있다.

또한 코일을 통과한 전류는 코일의 전압에 대해 위상이 다르며, 위상의 변화는 코일의 특성에 근거를 둔 것이다. 그러나 두 개의 변수(투자성과 치수변화)는 90°의 위상이 다른 변화를 일으킨다. 이러한 사실을 기초로 한 것이 위상분석법이나, 이 방법에서도 투자성과 치수변화의 변수가 같은 방향으로 위상변화를 일으키므로 두 개의 변수를 분리할 수 없다는 것이다.

변조분석(modulation analysis)은 이상의 두 방법과 함께 와전류탐상의 기본이 되는 한 방법이다.

그림 2-26은 대표적인 변조분석 장치의 배열이다. 발전기는 고정된 주파수의 교류 전압을 변조기기(modulation device)에 공급한다. 여기서 변조기기란 코일을 통과하는 긴 환봉을 갖고 있는 시험코일이 된다. 또한 출력 지시계는 일정 속도로 움직이는 기록지와 지시 사항을 종이 위해 기록하는 펜을 갖고 있으며, 지시계와 연결되는 회로가 2차 코일의 기준 출력의 변조 사항만 기록지에 나타나도록 조정되어 있다. 이 변조 사항은 또한 수직 형태의 한 방향으로만 사용되도록 되어 있다.

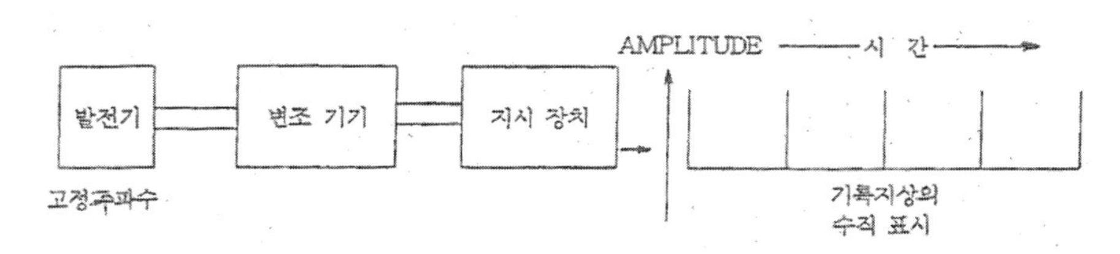

〔그림 2-26〕 대표적인 변조분석 장치 배열

그림 2-27에서 전도성에 의한 주기적 변화를 나타내는 일정 간격을 갖는 수직선의 표시를 볼 수 있다. 여기서 알 수 있는 것은 두 개의 수직선의 간격이 1사이클의 주기이며, 주파수는 1초 동안에 일어나는 주기수로 정의되므로 만약 1초 동안에 4개의 표시가 나타나면 변조 주파수는 4cycle/sec가 된다.

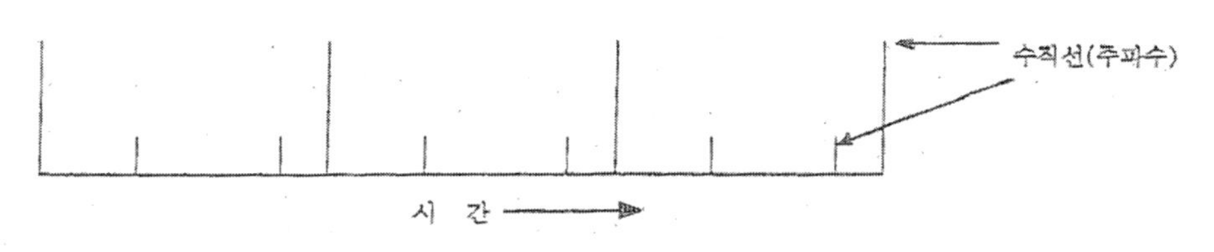

〔그림 2-27〕 기록지 상의 주파수(수직선)

나. 변조분석의 지시모양

시험 코일에 적용되는 주파수를 조정할 수 있는 코일 및 시험체에 관련되는 요인들을 보면 다음과 같다.

(1) 화학성분
(2) 시험체와 코일간의 간격 변화(충전율)
(3) 시험체의 치수변화
(4) 불연속부
(5) 내부 응력 또는 적용 응력
(6) 열처리 조건
(7) 결정(結晶)
(8) 격자 전위
(9) 온도
(10) 소음 발생(noise pick-up)

변조분석법은 출력 지시로부터 원하지 않는 변수를 제거하고, 발생되는 많은 변수 중에서 필요로 하는 변수만을 분리할 수 있는 방법이다.

이러한 문제를 해결하기 위해, 전자 필터(electronic filter)를 장치하여 필요로 하는 불연속(균열)만을 나타내도록 할 수 있다. 즉 전자 필터가 일정 주파수만을 통과하도록 하며, 고유특성을 갖는 여러 가지 필터를 사용한다. 이러한 기법을 사용하여 기록지에 나타나는 지시모양은 매우 낮은 주파수용으로부터 매우 높은 주파수용까지 각기 다른 지시 모양을 나타낼 수 있다.

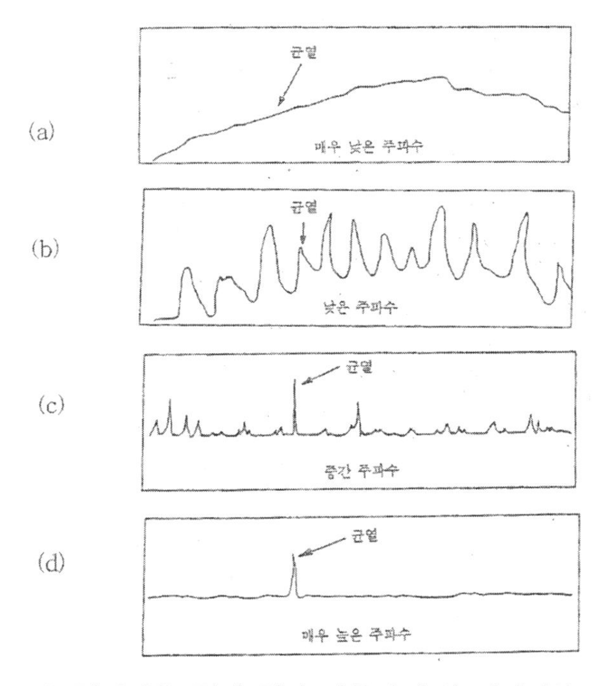

〔그림 2-28〕 전자 필터 사용시 출력 지시변화

그림 2-28에서와 같이, 변조분석법에서 각기 다른 전자 필터를 사용할 때 출력의 지시 변화가 어떻게 다르게 나타나는 가를 볼 수 있다.

즉 그림 2-28의 a에서는 매우 낮은 주파수만이 나타나므로 균열이 탐상되지 못하고, 그림 b와 c에서는 여러 개의 요인에 의한 영향이 동시에 나타나 이 중 어느 것이 균열로 인한 영향인지 구별하기가 어렵다. 그림d에서는 매우 낮거나 중간인 주파수는 걸러내고 매우 높은 주파수만 나타낸 것으로, 이러한 조건하에서는 균열을 명확하게 탐상할 수 있다.

변조분석법에서는 시험체가 코일을 통해 일정 속도로 이동하는데, 그 속도는 보통 분 당 40~300 피이트(ft)가 사용된다. 주어진 시험 하에서 속도는 항상 일정하여야 한다.

또한 균열을 찾기 위해 변조분석법을 사용할 경우, 시험체가 코일을 통과할 때 약간의 흔들림이 존재하면 출력의 지시 모양이 나타나는 원인이 된다. 이러한 흔들림의 영향도 전자 필터를 사용하여 나타나지 않도록 할 수 있는 것이 바로 변조분석법의 장점이다. 즉 필터를 사용함으로써 원하지 않는 출력 지시 모양을 제거할 수 있다는 것이다.

【 익 힘 문 제 】

1. 기전력이란 무엇인가?

2. 전도율과 와전류의 관계를 설명하시오.

3. 표피효과란 무엇인가?

4. 코일-시험체 연결인자에는 어떤 것이 있는가?

5. 내삽코일을 이용시 코일 외경이 6mm이고, 관 내경이 8mm이면 충전율이 얼마인가?

6. 와전류 출력 지시의 3대 변수는?

7. 인덕턴스와 리액턴스를 비교 설명하시오.

8. 코일 임피던스에 영향을 미치는 인자는 무엇인가?

9. 와류탐상검사의 3가지 기본 시스템은 무엇인가?

10. 주파수와 침투깊이는 어떤 관계를 갖는가?

11. 표준침투깊이에 대해 설명하시오

12. 일반적으로 신호 대 잡음비를 증가 시키는 방법을 열거하시오

제 3 장 시험코일

제 1 절 시험코일의 분류

와류탐상검사에 사용되는 시험코일이란 시험체 내에 와전류를 유도하기 위한 자속을 발생시키는 코일 및 시험체 내의 와전류에 의해 발생한 자속을 검출하기 위해 사용되는 코일을 총칭해서 말한다.

시험 코일은 시험체에 관한 정보를 검출하는 검출기(sensor)가 있고, 와류탐상검사의 결함에 대한 검출 감도 및 분해능 등의 검출 특성에 크게 영향을 주기 때문에 와전류검사 장치 중에서도 중요한 것 중 하나이다.

시험코일은 그 크기 및 형태에 따라 작은 결함의 검출에 우수한 특성을 갖는 것이 있고, 반대로 미세한 요철(凹凸)형의 국부적 변화를 얻어 재질의 판별을 행하기도 하며, 전체적인 변화의 검출에 적당한 특성을 갖는 것도 있다. 고로 시험체 또는 검출할 결함의 종류에 따라 시험코일을 설계할 필요가 있다.

또한 시험코일의 임피던스는 시험 장치와 일치하도록 하여야 하며, 코일 임피던스의 수치가 적당하지 않은 경우에는 브릿지의 평형을 얻을 수 없어 사실상 시험이 되지 않으며, 혹은 결함에 대한 검출 감도가 저하되는 일이 있기 때문에 주의를 요한다.

시험코일은 검출 방법 또는 적용 방법 등에 의해 분류된다.

와전류 탐상법을 이용하여 검사를 할 때 가장 중요한 결정 사항 중의 하나가 사용할 시험코일의 선택이다.

1. 적용 방법에 의한 분류

와류탐상검사는 단순한 형식의 시험체 검사에 적합하기 때문에 원통형 및 평판의 금속검사에 적용되는 것이 압도적으로 많다. 이와 같은 시험에 이용되는 시험코일은 시험체에 대한 적용방법에 따라 분류할 수 있다. 직경이 작은 관 등에 적용되는 시험코일은 다음의 3종류로 분류된다.

① 관통코일(encircling coil, feed through coil. OD coil)

② 내삽코일(inner coil, inside coil, ID coil)

③ 표면코일(surface coil, probe coil)

가. 관통형 코일

관통형 코일은 그림 3-1에 표시한 것과 같이 시험체를 코일 안으로 통과시켜 검사하는 방법으로 봉, 관, 선 등의 검사에 사용한다. 관통형 코일은 관, 봉 등이 상당히 빠른 속도로 코일을 관통하여 검사할 수 있다.

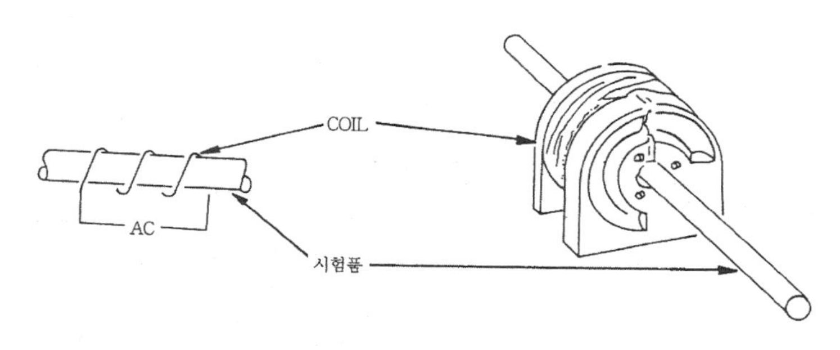

〔그림 3-1〕 관통형 코일

나. 내삽형 코일

내삽형 코일은 인너 프로브(inner probe) 또는 보빈 코일(bobbin coil)이라고도 불리우며, 그림 3-2에 표시한 바와 같이 시험체의 내부에 코일을 통과시켜 검사하는 방법으로, 관 내경 또는 볼트 구멍 등의 검사에 사용한다.

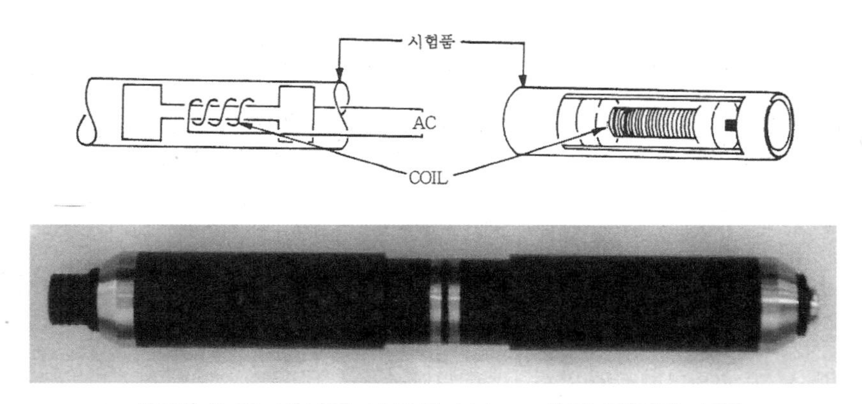

〔그림 3-2〕 내삽형 코일(Bobbin coil)의 구조와 실물

다. 표면형 코일

표면형 코일은 프로브 코일(probe coil)이라고도 부르며, 판, 강괴(ingot), 환봉 등의 평면이

나 곡면에 접촉시켜 부분적인 검사를 하며, 팬케익 코일(pancake coil)이라고도 한다. 표면형 코일은 축에 자성체 코일을 사용해 자속을 집중시켜 검출감도의 향상을 시도한 것이 많다.

일부 표면 코일 중에는 코일의 신축성이 작업자에 의해 일정 압력이 적용되도록 스프링이 장착되어 있어, 일정한 압력이 코일에 적용되며, 시험편에 대해 단단히 접촉시켜 준다. 시험체상에서 코일에 적용되는 압력은 출력 지시에 영향을 준다.

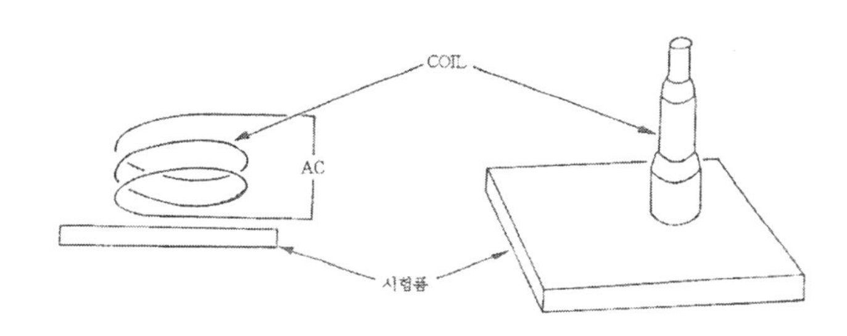

〔그림 3-3〕 표면형 코일(probe coil)

표면형 코일은 항공기 등의 검사에서 볼트 또는 볼트구멍(fastener holes)의 균열을 검사하는데 널리 사용되고 있다.

볼트구멍이나 리벳구멍의 경우에는 표면형 코일이 수동이나 자동으로 회전되며, 회전형 탐촉자(spinning probe)기술을 이용하여 구멍의 나선형 탐상을 할 수 있도록 한다.
그림3-4는 볼트홀을 검사하는 홀프로브(hole probe)의 구조도이다.

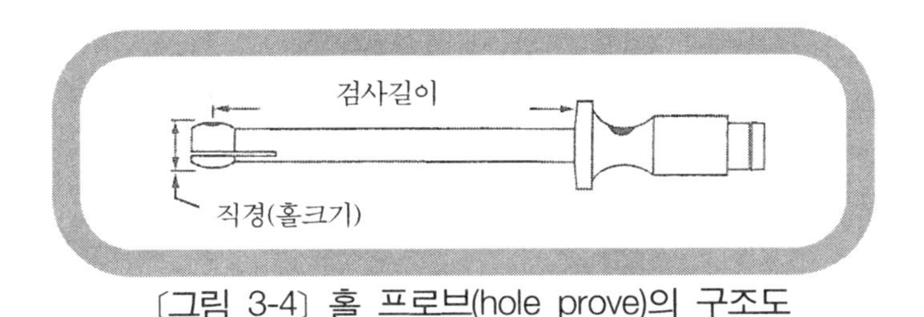

〔그림 3-4〕 홀 프로브(hole prove)의 구조도

2. 검출방법에 의한 분류

시험코일은 시험체 내의 와전류를 유도하고 와전류에 의한 반작용을 검출하는 방법에 의해 다음의 2가지로 분류된다.

① 자기유도형 시험코일

② 상호유도형 시험코일

가. 자기유도형 시험코일

자기유도형 시험코일은 코일의 자기유도작용을 이용한 시험코일로 코일이 와전류를 발생하기 위한 여자와 와전류에 의해 생기는 반작용의 검출을 겸한다. 자기유도형 시험코일은 시험체에 존재하는 결함에 의해 발생한 와전류의 변화를 임피던스의 변화로 검출하는 것으로, 브릿지에 조립되어 이용된다. 자기유도형 시험코일은 1종류의 코일만으로 이루어지기 때문에 제작이 용이하여 널리 이용되고 있다.

나. 상호유도형 시험코일

상호유도형 시험코일은 와전류를 발생시키기 위해 여자를 하는 1차 코일과 와전류에 의한 반작용의 검출을 하는 2차 코일로 구성되는 코일계를 말한다. 일반적으로 1차 코일은 일정 교류전원을 흐르게 하고 2차 코일에 유기되는 전압의 변화를 검출하여 시험을 한다. 1차 코일은 여자코일, 2차 코일은 검출코일 또는 pick-up 코일이라고도 한다. 상호유도형 시험코일은 2개 이상의 코일을 조합해야 하기 때문에 코일 제작에 있어 자기유도형보다 복잡하다. 그러나, 1차 코일을 크게 하여 큰 영역에 걸쳐 와전류를 유도하거나 작은 2차 코일에서 작은 결함을 검출하는 등 코일의 설계에 있어 자유도가 크다. 2차 코일이 1차 코일 내부에 있는 경우에는 2차 코일이 정전유도 잡음이 작아지고 주위온도변화에 대해 안정한 이점도 있다.

3. 사용방법에 의한 분류

시험코일은 실제 시험을 할 때의 사용방식에 따라 다음과 같이 분류된다.

① 절대형 코일(absolute coil)

② 차동형 코일(differential coil)

③ 표준비교형 코일(external reference, standard comparison coil)

가. 절대형 코일

절대형 코일이라는 것은 1개의 코일만에 의해서만 시험을 하는 코일이다. 시험체의 총체적인 변화를 검출하기 때문에 탐상시험을 할 때에는 결함의 형상에 어느 정도 대응한 신호를 얻을 수 있어 결함추정의 실마리를 줄 가능성이 있다. 그러나 실제로는 시험체와 코일의 상대위치, 시험체의 재질이나 형상 · 치수의 변화 등의 의한 영향을 받기 때문에 사실상 탐상검사가 불가능한 것이 많고 주의를 요한다. 또한, 주위의 온도변화에 따라 코일 자신의 직류저항이 변하기 때문에 안정성이 좋지 않은 단점이 있다.

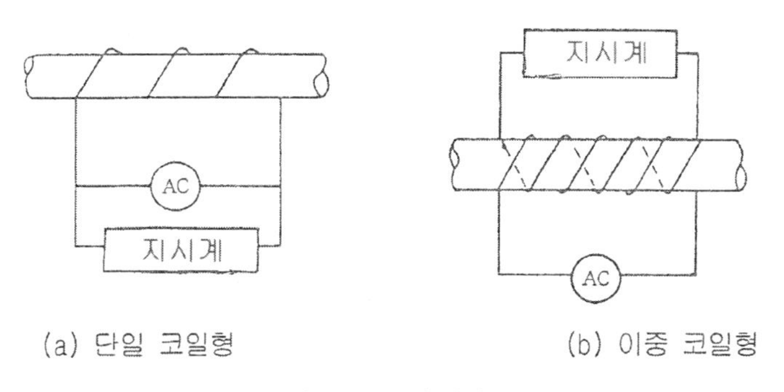

〔그림 3-5〕 절대형 코일

나. 차동형 코일

자기비교형 차동법의 시험코일은 2개의 코일을 나란히 놓고 시험체에 인접한 2개 부분의 차이를 검출하는 시험 코일로 차동코일(differential coil)이라고도 한다. 자기비교방식의 시험코일을 이용한 경우에는 시험체의 재질이나 형상 · 치수의 완만한 변화에 대해 2개의 코일이 같이 응답하여 상쇄되기 때문에 신호가 발생하지 않는다. 반면에, 드릴 구멍과 같은 국부적 변화의 경우는 양코일이 동시에 응답하는 것이 아니기 때문에 신호가 발생한다. 이와 같이 자기비교방식의 시험코일은 미소한 결함에 의한 급격한 변화만을 검출하고 완만한 재질 등의 변화에 의한 영향을 억제하는 기능을 갖는다. 또 시험체의 이송진동 등에 의한 시험코일과 시험체의 상대위치의 변화에 의한 잡음을 억제하고 주위온도 변화의 영향을 상쇄한다. 따라서 자기비교방식의 시험코일은 미소한 결함을 안정하게 검출할 수 있기 때문에 탐상용 시험코일로 널리 이용되고 있다.

자기비교형 차동법의 코일은 미소한 결함검출에 적합하다. 2개 코일에 나란한 방향으로 긴 결함의 경우에는 결함의 시작과 끝에서만 신호가 발생하고, 경우에 따라서는 신호가 거의 발생하지 않을 수도 있기 때문에 긴 결함의 검출에는 적합하지 않다.

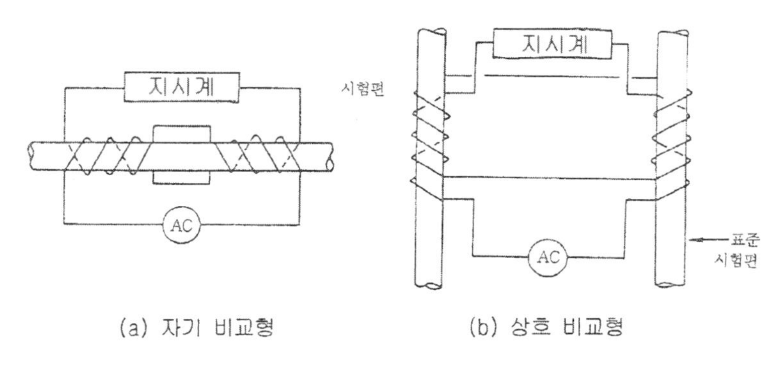

〔그림 3-6〕 자기비교 및 상호비교 코일 형태

다. 표준비교형 코일

표준비교형의 시험코일은 1대의 코일 내에서 한쪽은 시험체에 다른 쪽은 표준이 되는 것에 작용시킨 후 그들 코일의 응답차를 검출하여 시험하는 코일계를 말한다. 표준비교형의 시험코일은 상호비교방식의 시험코일이라고도 불리는데, 절대코일의 경우와 같이 시험체와 코일의 상대위치의 변화 및 시험체의 재질이나 형상 · 치수의 변화 등에 영향을 받지만 시험체에서의 총체적인 변화를 검출할 수 있기 때문에 재질판별 등에 이용되고 있다.

절대코일이나 표준비교형의 시험코일에 의해 얻어진 지시를 절대지시(absolute)라 한다. 이 지시는 결함의 상태에 어느 정도 대응하는 것이 많기 때문에 결함의 상태를 추정하는데 유리하다. 그러나 실제로는 잡음의 영향을 받기 쉽기 때문에 그 대책이 필요하다.

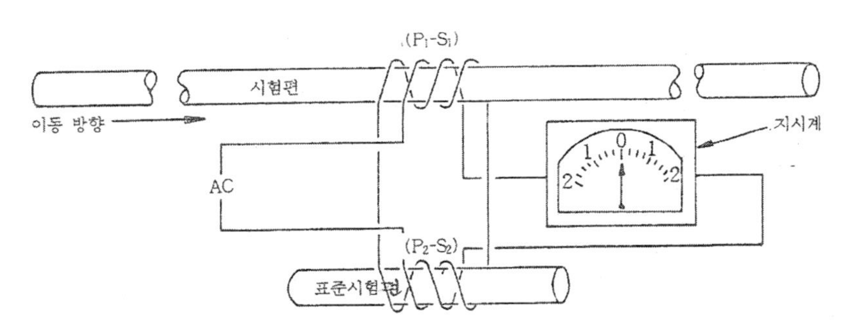

〔그림 3-7〕 표준비교방식 시험코일

표 3-1 절대형 및 차동형 탐촉자의 비교

항 목	절 대 형	차 동 형
작동방법	시험체의 다른 부분 또는 다른 시험체와 비교하지 않고 시험중인 시험체의 어떤 부분에서의 검출된 전기적 또는 자기적 특성의 응답	둘 또는 그 이상의 코일이 전기적으로 연결되어 동일 시험편의 한부분 또는 비교시험편과 비교하면서 검사. 즉 두코일 모두 결함이 없으면 지시형성 없음
장 점	1. 피검체의 재료나 형상이 급격 하거나 점진적인 변화에 민감 2. 증폭된 지시의 분리 용이 3. 결함 길이 측정 가능	1. 형상이나 재료의 점진적인 변화에 민감하지 않음 2. 온도에 대한 영향이 적음. 3. 탐촉자의 떨림이 적음
단 점	1. 온도에 영향이 큼 2. 탐촉자 흔들림에 영향이 큼	1. 점진적인 변화에 민감하지 않아 지시 누락이 큼 2. 신호의 해석이 어려울 수 있음

앞에 기술한 자기비교형의 차동법 시험코일과 같이 2개의 응답차를 검출하는 시험코일을 차동코일(differential coil)이라 하고, 차동코일을 이용하여 얻어진 지시를 차동지시라 한다.

4. 시험 코일의 종류별 장단점

1인치 직경의 환봉을 검사하기에 가장 적합한 방법은 관통형 코일이다. 즉 소형 환봉류의 검사는 관통형 코일을 사용하는 것이 가장 적합한데, 그 이유는 시험체가 코일의 중앙을 연속적으로 통과할 수 있기 때문이다.

연속적으로 제작되는 라인 생산품일 때는 분 당 1,000인치의 속도로 시험이 가능하다. 또한 이 방법은 시험체의 전 원주 방향을 한번에 검사할 수 있는 이점이 있다.

시험체의 전 원주 방향을 판독하는 것은 내삽형 코일도 가능하다. 내삽형 코일은 관통형 코일로는 불가능한, 대형 강관의 내부면 또는 내 외부 표면을 검사하는, 즉 두꺼운 관두께를 갖는 경우에 사용된다. 내삽형 코일에서 알아야 할 중요사항은 코일과 시험체의 거리가 검사 결과를 결정한다는 것이다

관통형 및 내삽형 코일의 단점은 전 원주 방향을 한번에 판독함으로, 불연속부의 정확한 위치를 판별할 수 없다는 것이다. 또한 시험체를 코일의 중앙에 위치시키거나 또는 코일을 시험체의 중앙에 위치시켜야 한다. 그렇지 않으면 균일한 불연속의 지시를 얻기 어려운 단점도 있다.

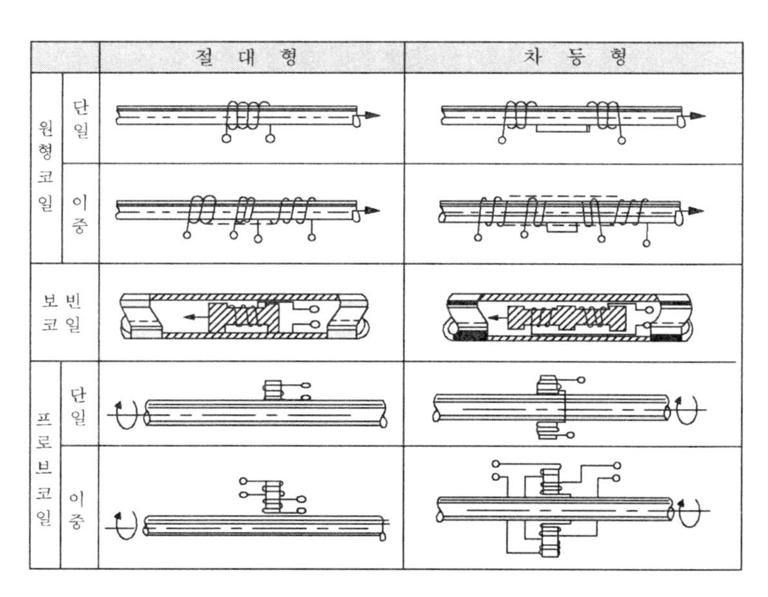

〔그림 3-8〕 코일의 분류 및 종류.

그러나 불연속부의 정확한 위치를 확실하게 찾아낼 수 있는 방법은 표면형 코일이다. 표면형 코일은 수동 또는 자동으로 시험체의 표면을 탐상한다. 이때 표면형 코일과 시험체의 표면간의 거리가 주요한 고려 사항이며, 이것을 리프트-오프라고 부른다고 하였으며, 가능한 한 잘 조정이 되어야만 한다.

표면형 코일과 지시 장치는 리프트-오프 효과로 인해 원치 않는 지시 모양이 나타나는 것을 방지할 수 있도록 설계된다.

표 3-2 코일의 종류별 장단점

종 류	장 점	단 점
관통형 코일 (Encircling Coil)	· 한번에 전부위를 판독할 수 있다. · 고속의 작업이 가능하다. · 탐촉자 마모 문제가 없음.	· 원주방향의 불연속부의 위치 구별이 어렵다. · 치수변화에 예민하게 반응한다.
내삽형 코일 (Inside Coil)	· 강관의 내부 검사에 용이함. · 작업 속도가 양호하다. · 볼트 구멍 시험에 우수하다.	· 탐촉자가 마모됨. · 충전율의 문제가 있음.
표면형 코일 (Probe Coil)	· 부분 지역의 시험에 적합함. · 균열 탐상에 적합함. · 균열 측정, 분류가 용이하다.	· 리프트-오프 문제가 있음. · 탐촉자가 마모됨. · 시험 속도가 문제가 있음.

제 2 절 기타 특수 용도형 코일의 종류

1. 보빈코일의 특수형

시험 코일에는 시험체 또는 검사 방법 등에 의해 특수 용도로 사용되는 시험 코일들이 있다.

이러한 시험 코일도 원리는 내삽형, 표면형 들을 기본으로 하며, 시험 대상에 따라 구조 및 형태가 특수하게 설계, 구성된 것이다.

예를 들어 원자력 발전소에서 증기 발생기(steam generator)의 전열관 같은 시험체를 검사하는 데는 보빈 코일을 사용하지만, 전열관의 구조 특성에 따라 보빈 코일의 형태가 직선 부위 또는 곡선 부위 검사 등에 따라 다음의 세 가지로 분류되고 있다.

1) 강직형(figid type) : 직관부 검사용

2) 유연형(flex type) : 곡관부 검사용

3) 초유연형(beaded flex type) : 곡관부 검사용

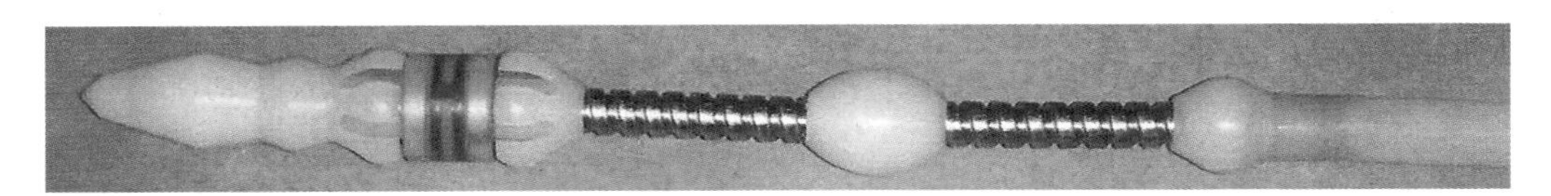

〔그림 3-9〕 보빈코일의 특수형(유연형)

2. 8 X 1 Coil

내삽형 코일의 형태로 사용되나 시험 코일은 팬케익 코일(pancake coil)이 원주방향으로 4개씩 상하 8개로 구성되며, 보빈 코일(Bobbin coil)로 검사한 배관의 결함 부위를 재확인하는 검사로 사용된다.

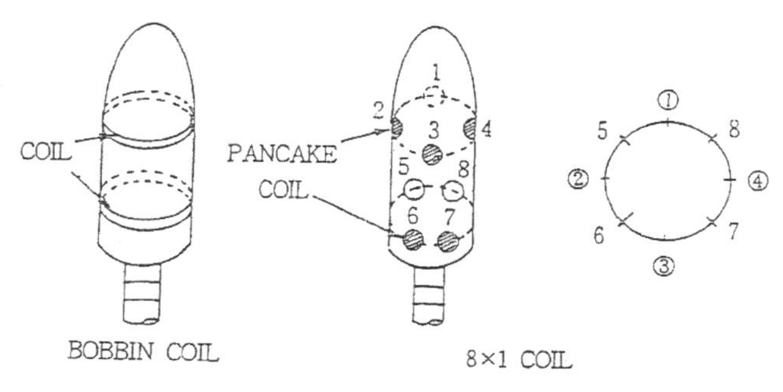

〔그림 3-10〕 8X1 Coil의 배열 및 구조

3. MRPC(Motorized Rotating Pancake Coil)

내삽형 코일의 형태로 사용되나, 1개 또는 3개의 나선형 코일로 탐촉자가 구성되며, 모터에 의해 탐촉자가 회전하면서 배관의 내부로 삽입되어 검사하는 방법이며, 소형의 모터가 탐촉자에 연결되어 함께 작동된다. 주로 원주방향의 선형 결함을 정확하게 검출하는데 사용된다. 보빈코일로 검사한 부위중 또는 정밀검사를 요구하는 부위에 사용된다.

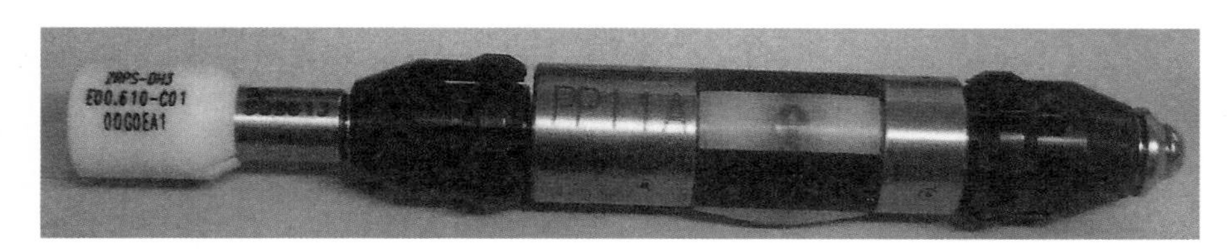

〔그림 3-11〕 MRPC탐촉자 해드(직관부 용)

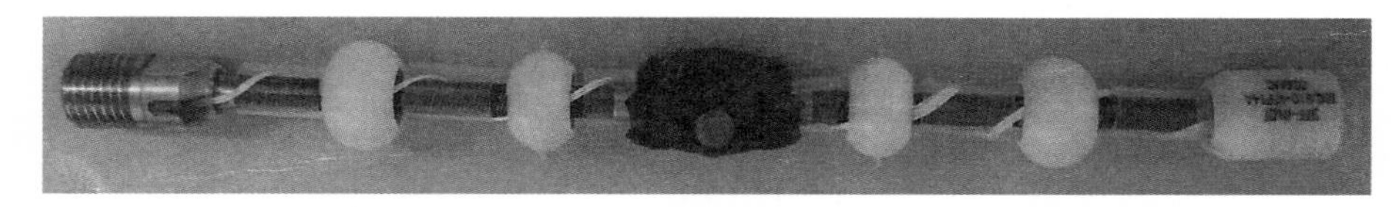

〔그림 3-12〕 free span MRPC탐촉자 해드(곡관부 용)

4. 회전형 코일(Spinning Coil)

표면형 코일을 이용한 검사 방법이나, 표면형 코일을 모터와 벨트를 이용, 회전시키면서 환봉류의 시험체를 관통시켜 검사하는 방법이다. 주로 환봉류의 결함 위치를 정확히 측정하기 위해 사용된다.

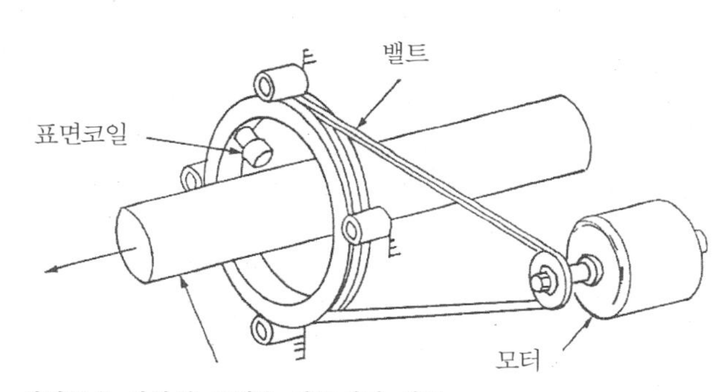

〔그림 3-13〕 회전형 코일

5. 갭 프로브 (Gap probe)

자장을 원하는 모양으로 만들기 위해 자성 물질을 사용한 프로브이며, 비행기의 날개접부 부분 같이 외진 곳의 검사에 적합하며, 강력한 자장이 생기게 하여야 한다.

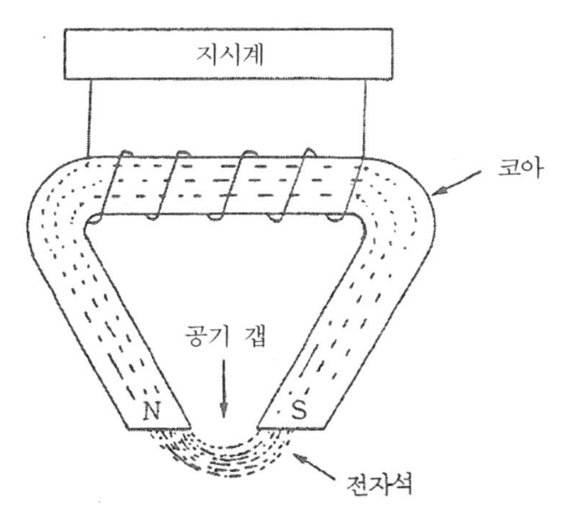

〔그림 3-14〕 갭 프로브

【 익 힘 문 제 】

1. 시험코일의 분류방법을 열거하시오

2. 검출방법에 의한 시험코일의 종류는?

3. 사용방법에 의한 시험코일의 종류는?

4. 표준비교방식 시험코일이란 무엇인가?

5. 내삽형 코일의 장단점은 무엇인가?

6. 특수용도형 코일에는 어떤 종류가 있는가?

7. 회전형 나선코일(RPC)의 특징과 사용목적은 무엇인가?

제 4 장 탐상장치

제 1 절 탐상장치의 시스템

1. 탐상장치의 기본요구사항

대부분의 와류 탐상장치는 최종 출력 또는 표시형식(display mode)에 의해 분류된다. 또한 기본적인 요구사항이 모든 형식의 와전류탐상장치에 요구된다.

일반적으로 다섯 가지 각기 다른 사항이 와류탐상장치에 요구되어지며, 이것은 여자(exitation), 변조(modulation), 신호준비(signal preparation), 신호분석(signal analysis) 그리고 신호표시(signal display)의 기능을 말한다.

여기에 여섯 번째 구성으로 시험체를 취급하는 보조장치를 추가할 수 있다.
그림 4-1은 이러한 기본적인 구성을 보여준다.

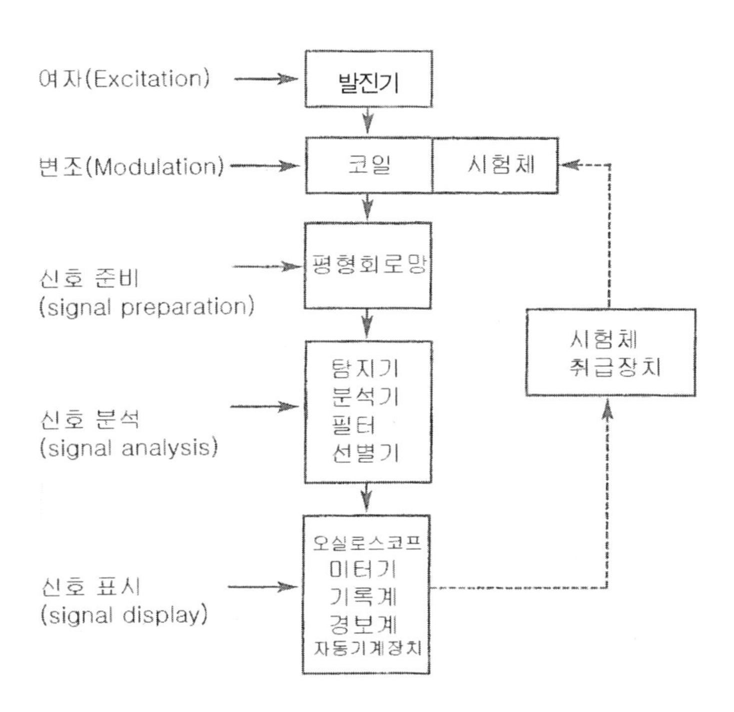

〔그림 4-1〕 와전류탐상장치의 기본 내부구성도

발진기(generator)는 시험코일에 여자신호를 발생한다. 변조신호는 시험코일의 자장 안에서 발생하며, 신호준비 과정인 일반적으로 평형회로에서 신호를 준비하며, 신호분석기능에는 탐지기, 분석기, 필터, 선별기 등으로 구성되어 진다.

신호표시기능은 시험장비와 의도하는 목적과를 연결해주는 가장 중요한 기능이며, 신호표시 방법은 요구되는 시험에 따른다.

어떤 시험은 단지 간단한 합격/불합격(Go/No-Go) 지시계가 요구되기도 하지만 다른 시험은 시험 시 발생한 모든 데이터를 100% 기록하기를 요구하기도 하기 때문이다.

와류탐상검사법은 일반 교류 전류를 넣은 코일을 시험체에 접근시켰을 때, 시험체에 일어나는 와전류의 작용에 의해서 발생한 코일의 임피던스 또는 제2의 코일에 일어나는 전압 변화의 검출을 기초로 한 것이다.

탐상 장치는 위에서 설명한 변화를 검출하기 위한 것으로써, 주로 전기 장치의 송신 장치 및 부속 장치로 구성된다. 탐상장치는 검사 목적에 따라서 각종 장비가 개발되어 사용되고 있다. 표 4-1은 와류탐상검사 장치를 대별한 것이다.

일반적으로 사용되고 있는 탐상장치를 분류하면 다음과 같다.

(1) 임피던스, 브릿지에 의한 것

(2) 2차 코일의 유도 전압을 이용하는 것

(3) 주파수 변화를 이용하는 것

표 4-1 탐상장치의 분류

탐상장치	목 적	코 일	검 사 기	
			형 상 종 류	재 질
결함검출기	결함검출	관통형 코일	선,봉,구	철강,비철
		표면형 코일	관,봉,팔렛트, 이형재,판	철강,비철
		내삽형 코일	관,공내면	철강,비철
재질판별 검사기	이재판별 검 출	관통형 코일	관,봉,구	철강,비철
		표면형 코일	판,이형재	철강,비철
	전도도측정	표면형 코일	판	비철금속
두께측정기	피복 및 도금 두께측정	표면형 코일	판표면	비철의 막두께, 비철 및 강판상의 비금속 피막등
크기검사기	형상, 크기	관통형 코일	선,관,환봉	철강,강,비철
	검 사	표면형 코일	판	철강,강,비철

(1) 임피던스, 브릿지에 의한 것은 교류 브릿지 근처에서 직접 검사 코일을 결선해서 사용한 것으로써, 결함검출기, 두께 측정기 등에 많이 사용한다.

(2) 2차 코일이 유도 전압을 이용한 것은 여자 코일(1차 코일) 및 검출용 코일(2차 코일)로 구성되어 있고, 결함검출기, 재질 판별기에 널리 사용되고 있다.

(3) 주파수 변화를 이용하는 것은 검사 코일의 임피던스 변화에 따른 주파수 변화를 검출하는 것으로써, 공진점의 이동을 출력 번호로써 검출하는 것이다.

이 방식은 균열 검출기, 재질 판별기 등에 이용되고 있다.

이상은 검사품의 한 쪽 면에 검사 코일을 접근시키는 방법이며, 검사품을 투과하는 전자장을 이용한 투과형 탐상 장치도 있으며 판의 두께, 재질 검사에 사용된다.

2. 와류탐상검사 장치의 구성

앞에서 말한 바와 같이 와류탐상장치는 여러 가지가 적용되고 있으나, 일반 탐상장치는 주장치가 있고, 탐상검출기와 부속 장치로 나누어진다.

그림 4-2는 와류탐상장치의 기본 구성을 나타내고 신호의 흐름을 설명한 것이다.

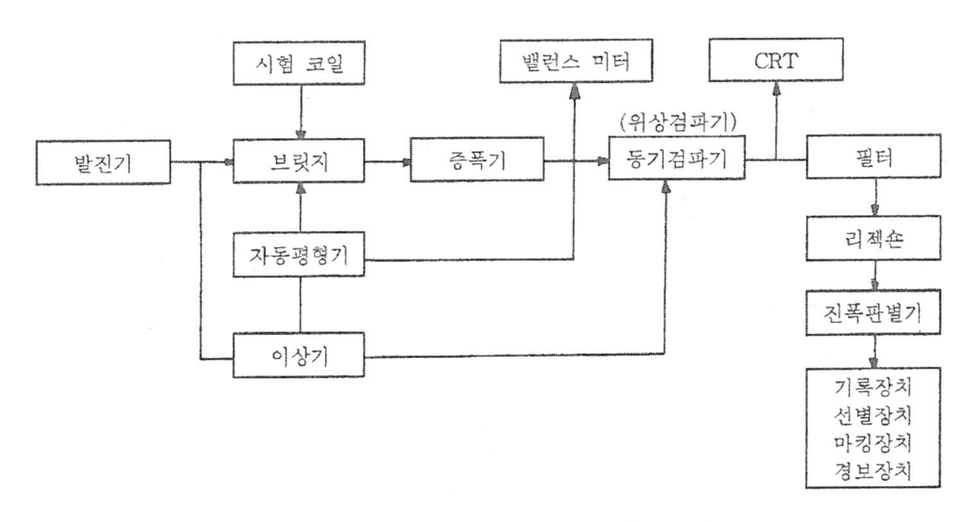

〔그림 4-2〕 와류탐상장치의 기본구성

탐상장치의 기본구성부에 대해 간단히 설명하면 다음과 같다.

시험코일은 발진기에서 여자 전류에 의한 검사품에 와전류를 발생시켜 검사품에 존재하는 결함 등으로 인한 와전류의 변화를 코일, 임피던스 변화로서 검출하게 하는 역할을 한다.
발진기(generator)는 검사품의 재질, 즉 전기 전도도, 크기, 형상 등에 의하여 결정되는 최적 주파수를 발생시킨다.
발진기에서 발진한 기준 신호는 브릿지 회로와 이상기(移相器)로 분리되며, 브릿지 회로는 시험코일과 가변 저항기로 구성된다. 이 가변 저항기를 조정하여 시험체의 건전부에서 출력이 나오지 않도록 한다. 이 상태를 감시하는 것이 밸런스 미터(balance meter)이다.
또 시험체의 결함 부분이 시험코일에 들어가면 브릿지의 균형이 깨져 결함에 의한 코일의 임피던스 변화에 따라 전압이 발생한다. 이 출력 전압은 작기 때문에 다음의 증폭기에 의해 진폭이 증가된다.
증폭기에는 감도 조정기가 부착되어 감도조정을 할 수 있다. 한편, 이상기에 입력된 기준 신호는 이상 회로에 따라 주파수가 동일한 기준 신호에 대해 임의의 위상을 갖는 신호로 출력된다.
동기 검파기는 증폭기의 출력과 이상기의 출력을 비교해서 반송 잡음 등의 불필요한 신호를 제거하고, 결함 신호를 나타내기 쉽도록 한 회로이다. 동기 검파에 의한 출력 신호는 결함 신호 외에 기준 신호 성분 등이 동기 검파에서 완전하게 성분이 높거나, 낮은 불필요한 신호를 제거하는 필터(filter)가 있다. 필터의 주파수 대역은 시험체의 속도, 즉 검사 속도를 조정하여 결함 신호에 영향을 받지 않도록 되어 있다.
필터를 통과한 신호 중, 제거되지 않은 낮은 레벨의 잡음을 제거하는 것이 리젝션(rejection)이다. 리젝션 회로를 통과한 결함 신호와 비교해서 마킹 장치 또는 선별 장치 등을 동작하는 신호를 만드는 것이 진폭 판별기(valve) 회로이다.
CRT는 동기 검파의 출력 신호가 벡터(vector)표시이며, 브릿지의 밸런스 상태 외에 결함 신호 및 잡음의 진폭 위상 등을 관찰할 수 있다.

가. 기본시험회로

오늘날 시장에는 많은 종류의 각기 다른 와전류탐상장비가 있으며, 그 원리는 비슷하나 기능과 부속장치 등에 차이가 있다. 대부분의 와전류탐상장비는 코일의 임피던스 또는 임피던스 변화를 측정하는 방법이며, 이는 교류전원을 포함하는 기본시험회로가 시험코일에 전원을 공급하는 것이다.
기본시험회로에서 전압계는 전압을 측정하기 위해 시험코일에 연결되어 있고 시험코일을 시험체 근처에 접근시키면 코일의 임피던스가 변하게 되며, 이 임피던스의 변화는 미터기의 변화에 영향을 주는 것이다.

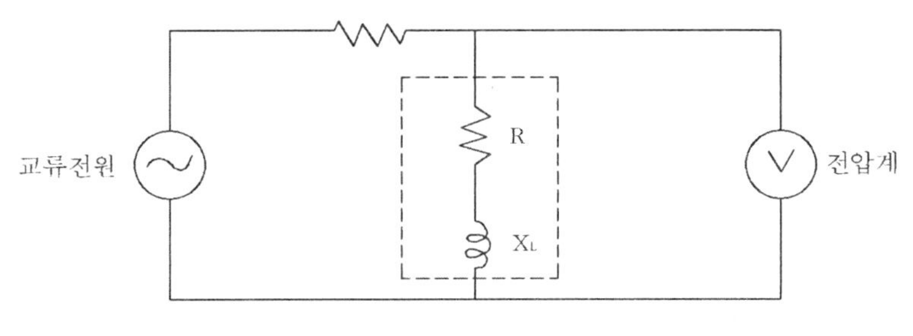

〔그림 4-3〕 기본시험회로

나. 브릿지 회로(평형회로)

탐상장치의 가장 기본적인 회로는 브릿지 회로(또는 wheatston bridge라고도 함)이다. 탐상장치에 사용되는 브릿지는 결함 등으로 인한 코일의 임피던스 변화를 전기적신호로 교환하는 중요한 작용을 한다. 브릿지 회로(bridge circuit)의 중요한 장점은 검출된 신호의 레벨이 여자 신호 회로와 비교해서 매우 작다는 것이다.

그림 4-4는 일반적으로 사용되고 있는 브릿지 회로(bridge circuit)이다. 코일은 비교적 큰 가변 저항과 병렬로 연결되어 가변 저항의 값을 변화시켜 이것에 의해서 브릿지의 평형을 얻는다.

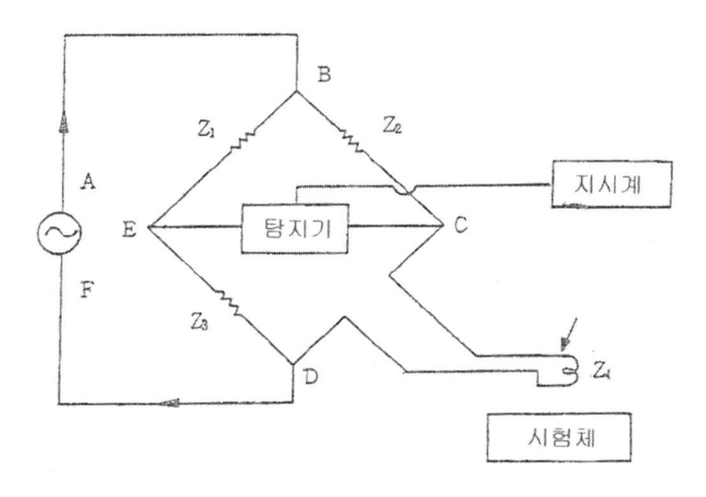

〔그림 4-4〕 일반적 브릿지 회로 구성 예

여기서 : Z_1 및 Z_2는 고정된 회로 임피던스

Z_3는 회로의 평형(ballance 또는 null)을 위해 조정할 수 있는 임피던스, Z_4는 변경될 수

있는 임피던스(와전류탐상에서는 이것이 탐촉자가 된다.)

위의 그림에서 브릿지 회로의 작동 이론은 다음과 같다.

1) 초기 전류가 A에서 F로 흐른다고 하면 다음의 두 가지를 선택할 수 있다. 즉 BED 및 BCD 또는 이 두 가지를 혼합한 것이다.
2) 만약 어떤 이유 때문에 BCD 회로가 열려 있는 회로가 되면, 모든 전류는 BED를 통해 흐르게 된다.
3) 이때 Z_1과 Z_2는 고정된 값이고, BED와 BCD 사이에 동일한 전류를 흐르게 하는 방법은 단지 $Z_1 + Z_3 = Z_2 + Z_4$ 이어야 하므로, 이것은 Z_3을 조정함으로 얻을 수 있게 된다.
4) 상기 공식이 만족하게 될 때 E와 C점 사이에는 전압을 측정할 수 없게 되며, 이때의 회로를 평형화(ballanced) 또는 nulled 되었다고 한다. 회로가 평형화 되었을 때 null을 바꾸는 한가지 방법은 Z_4를 바꾸는 것이며, 와류탐상검사에서는 이것이 바로 탐촉자(probe)이다.
5) Test probe(Z_4)에서의 어떤 변화는 전체 브릿지 회로에 영향을 주게 되고, 미터계나 오실로 스코프 등에 의해 그 반응을 검출할 수 있다.

와류탐상장치에서 사용되는 대표적인 브릿지 회로는 그림 4-5와 같다.

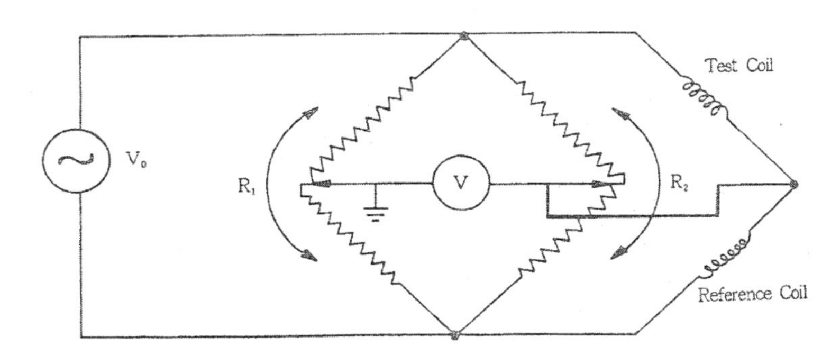

〔그림 4-5〕 와류탐상장치에 사용되는 대표적인 브릿지 회로

다. 증폭회로

전항에서 설명하였듯이, 시험체의 손상 등에 의해 브릿지의 출력에 나타나는 신호는 대단히 작지만, 이것을 표시장치나 기록장치에서 검지할 수 있는 정도까지 신호를 크게 하는 것이 증폭기이다. 증폭의 증폭도는 이득값(gain)을 통해서 일반적으로 dB(데시벨)로 나타낸다.

증폭기의 증폭 특성은 그림 4-6에 나타낸 것처럼 압력전압에 비례한 전압이 출력되지만,

증폭기의 최대 출력전압이 정해지기 때문에, 입력신호가 너무 크면 출력이 포화해 버린다. 최대 출력전압이 작은 증폭기의 경우, 결함신호가 포화되기 쉽다. 이 경우 출력신호가 입력신호에 비례하지 않아 결함의 크기에 관계없이 신호가 출력되기 때문에, 입력신호의 크기나 감도의 조정에 주의가 필요하게 된다.

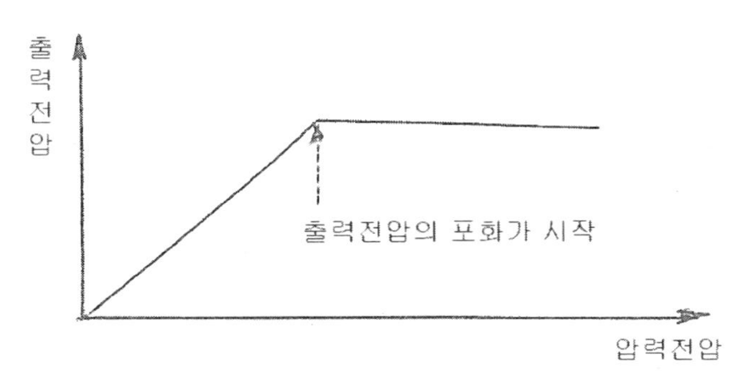

〔그림 4-6〕 증폭기의 증폭 특성

검출기에 사용되는 증폭기의 이득값(gain) 표시에는 최대 감도를 0 dB로 표시하는 것과 감쇠기(attenuator)의 최대 감쇠일 때를 0dB로서 표시하는 것이 있다. 예를 들면, 증폭기의 최대 이득값을 60dB로 하고, 지금 20dB의 이득값에 사용하면, 전자는 -40dB, 후자는 20dB의 이득 표시가 된다. 2가지의 표시방법이 다른 것은 어떤 점을 기준으로 해서 눈금을 잡는지의 차이이기 때문에, 감도 조정기의 눈금이 어느 쪽으로 표시하고 있는지 확인할 필요가 있다.

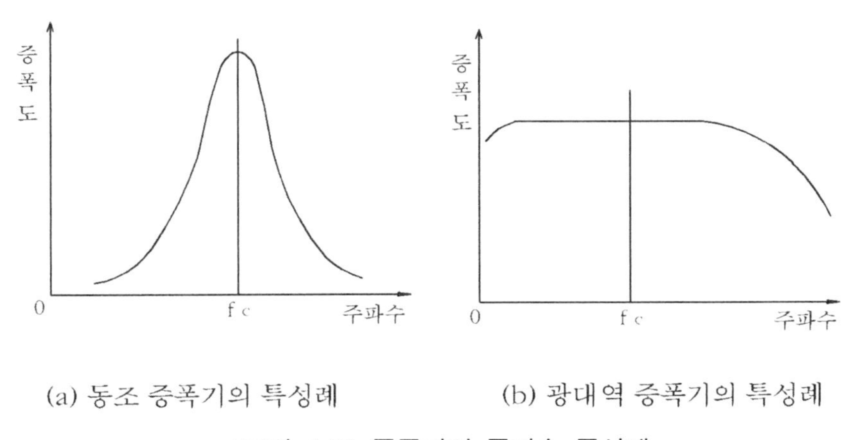

(a) 동조 증폭기의 특성례　　(b) 광대역 증폭기의 특성례

〔그림 4-7〕 증폭기의 주파수 특성례

와류탐상장치에 사용되는 증폭기에는 그림 4-7의 (a)에 나타내는 검사 주파수만큼을 증폭하는 동조 증폭회로와, (b)에 나타내는 폭넓은 범위를 균일하게 증폭하는 광대역 증폭기가 있다. 특성 예에서도 알 수 있는 것과 같이 동조 증폭기는 시험 주파수 fc만큼을 증폭하고, 그 이외의 주파수 성분을 갖는 잡음을 감쇠시킬 수 있다. 또 광대역 증폭기는 검사 주파수가 연속적으로 변할 수 있는 증폭기를 이용하는 경우가 많다.

라. 동기 검파 회로(위상 검파 회로)

동기 검파는 일반적으로 와류탐상기의 위상 해석법으로서 가장 많이 사용되고 있는 방법이며, 시험코일과 시험체와의 상대 위치 변화에 따라 생기는 잡음을 억압하기 위해 사용되는 동시에, 탐상신호를 전압평면상에 2차원적으로 나타내는 경우에 사용된다.

균열 등의 손상으로 발생하는 신호와, 시험코일과 시험체와의 상대위치 변화에 따라 발생하는 잡음으로, 교류인 반송파(시험 주파수)의 위상이 다를 때, 잡음을 억압하는 위상 해석에 의해 S/N비의 향상을 꾀할 수 있다.

3. 부속장치

가. 기록장치

와류 탐상검사 시스템에서 중요한 부분 중의 하나가 임피던스 변화의 양을 측정하여 신호를 표시하는 방법의 기록 장치이며, 여러 가지 형태의 장치가 사용된다.

기록장치는 적절한 속도, 정확도 그리고 검사 시스템에서 요구에 만족하는 범위를 갖추어야 하며, 검사의 결과를 기록하고, 그 기록과 시험체 결함의 형상과 비교 및 검사보고서에 첨부하기 위해 사용된다.

자동탐상에 사용되는 기록장치에는 통상 펜으로 쓰는 오실로그래프를 쓰지만, 한가지의 결함 해석에는 X-Y 기록계를 사용하는 경우가 있다.

일반적으로 기록장치는 기록 신호에 대한 응답성의 범위가 있다. 결함 주파수가 기록계의 응답주파수보다 높은 경우, 실제 결함의 출력 신호의 크기보다 작게 표시되는 경우가 있다는 것이다. 예를 들면 시험체의 이송 속도가 늦은 경우의 기록 신호에 비교해서 반송 속도를 빠르게 하면 동일 결함 신호가 작게 기록되는 현상이 있다.

기록장치에는 크게 아날로그 미터기(Analog meter)와 디지털 표시기(Digital display)로 나눌 수 있다.

1) 아날로그 미터기(Analog meter)

아날로그 미터기는 입력된 지속적인 기능이 미터기에 육안으로 식별할 수 있는 출력변화를 나타내는 장치이다. 대표적인 미터기는 입력 신호에 반응하여 움직이는 바늘 또는 펜을 갖고 있다.

임피던스 시험법에서 주로 미터기를 사용하며, 사용되는 기록장치로 대표적인 것이 전도도 측정기이다.

① 음향경보기(Audio alarms)

음향경보기는 불규칙한 조건에서만 지시한다. 경보지시등(alarm light) 또는 음향경보기는 해당검사 대상에 대해 어떤 상태가 있고 없음의 성질상의 정보만을 나타낸다.

② Strip chart recorder

스트립 차트 기록계는 비교적 빠른 속도로 결과를 기록할 수 있도록 되었으며, 영구적이며 상당히 정확한 기록을 만들어 주는 방법이다. 여러 개의 채널(channels)을 동시에 기록할 수 있으며, 관에 존재하는 불연속부를 검사하는데 많이 사용되고, 변조분석 시험에서 이 기록장치를 사용한다.

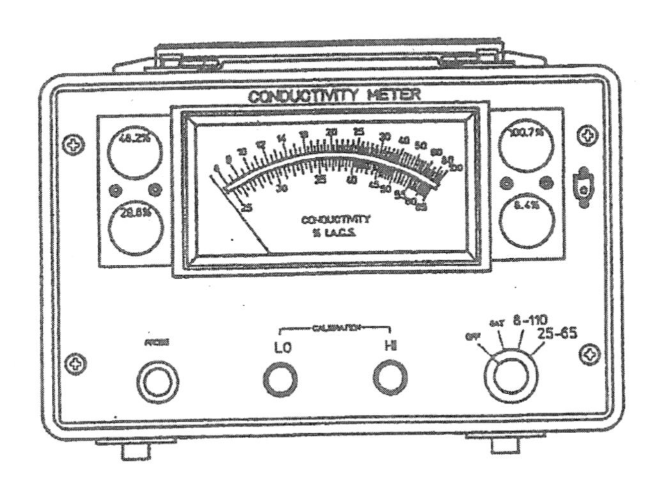

〔그림 4-8〕 전도도 측정용 미터기

2) 디지털 표시기(Digital display)

디지털 기록장치는 기록이 수치로 나타나기 때문에 아날로그 미터기를 이용할 때 검사자의 실수를 줄일 수 있다. 그리고 아날로그에 비해 더 정확하고 넓은 범위를 검사할 수 있다.

① 음극선관(Cathod ray tubes ; CRT)

음극선관(CRT)은 검교정 능력을 수반한 결과를 판독 할 수 있으며 넓은 범위와 높은 정확성을 제공한다.

그림 4-8은 위상분석법에서 CRT를 이용한 기록방법이며, 컴퓨터를 이용하여 데이터를 분석하고, 자기 테이프 또는 디스크에 결과를 기록하여 재생이 용이한 방법으로써 최근 원자력 발전소에서 증기발생기를 검사하는데 많이 쓰이고 있다.

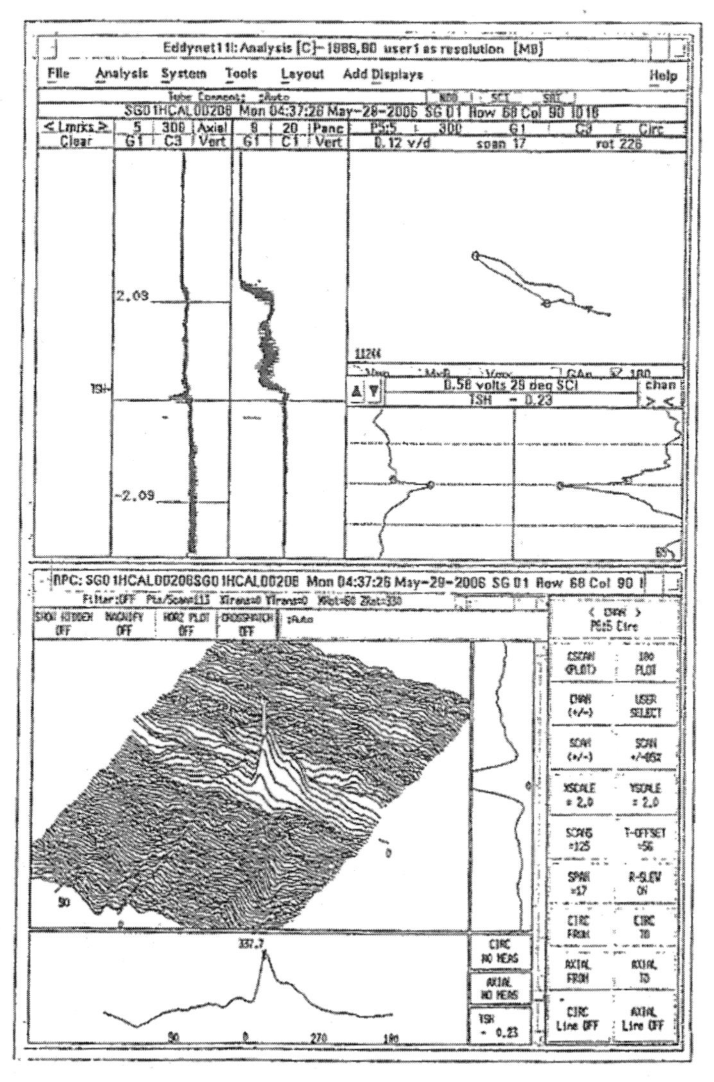

〔그림 4-8〕 CRT를 이용한 기록방법의 예

나. 이송장치

자동탐상시험에 있어서 시험체의 이동을 담당하는 장치를 이송장치라 한다. 이송장치는 시험체에 진동을 주지 않고, 또 시험체가 항상 코일의 중심을 통과하도록 하고 또한 일정한 속도로 이송될 수 있도록 하여야 한다. 이송 시 시험체에 진동이 발생하면 잡음의 원인이 되며, 또 시험체가 시험코일에 대해 중심이 변하면 시험체상의 결함의 위치에 따라 상의 검출 감도에 차이가 생길 수가 있다. 또한 이송속도가 일정치 않으면 속도 효과에 의해 잡음이 발생하기도 하고, 신호의 주파수가 변화해서 필터에 의한 주파수 해석을 할 수 없기도 한다.

이와 같이 이송장치의 특성은 탐상시험에 큰 영향을 주기 때문에 제작 시 뿐만 아니라 장기간 안정된 이송을 행하는 장치이어야 한다.

다. 마킹장치

마킹장치는 결함 검출의 위치를 정확히 파악하기 위해서 뿐 아니라 합격, 불합격품의 구별을 분류하기 쉽게 하기 위해 사용된다. 마킹장치는 액체의 도료를 분무하기도 하고 고형의 분필형의 것을 사용하기도 한다. 자동탐상에서는 액체를 사용한 마킹장치가 많이 사용된다. 마킹을 결함 위치에 정확히 하기 위해서는 결함 검출 후 타이머 등으로 자동 마킹하는 위치까지 신호를 지연시키는 장치가 필요하다.

라. 자기포화장치

자기포화장치는 자화코일과 여자용 전원으로 구성되고, 시험체가 강(鋼)등의 자성체의 경우에 자성의 균일을 도모하여 μ-노이즈(micron-noise)에 의한 영향을 작게 하기 위해 사용된다.

자기포화장치가 없는 경우 또는 자화가 부족한 경우 자성의 불균일로 부터 발생하는 미크론 노이즈 때문에 결함 이외의 부위로부터 잡음이 발생하여 신호 대 잡음비(S/N비)가 나쁜 검사 결과가 된다.

또 시험체의 재질 또는 외형 등에 의해 여자용 직류 전원의 전류를 조정하고 자화의 강도를 바꾸어 검사에 가장 적합한 자화 량을 얻을 필요가 있다. 자기포화장치의 여자용 직류 전원의 전류치의 설정방법은, 처음에는 낮은 전류치에서 시험을 행하여 점차 전류를 높여 S/N비가 가장 좋게 되는 전류치를 갖도록 설정한다. 이때 브릿지 밸런스의 위상은 자화 전류와 함께 변하므로 조정을 하여야 한다.

자기포화장치의 자계강도(磁界强度)는 자기포화코일의 권선수와 여자전류에 비례한다. 자기포화장치는 코일의 건선수를 많게 하여 낮은 전류에서 여자하는 장치와 코일의 권수를 작게 하여 높은 전류에서 여자하는 장치가 있다. 어느 방법을 사용하든 간에 코일에 전류가 흐르면 코일이 발열하기 때문에 유냉, 수냉, 공냉 등의 냉각 장치가 자기포화장치에 부착되어 있다.

마. 탈자장치

탈자장치는 자성체의 탐상검사에서 자화된 시험체의 잔류 자장을 제거하기 위해 사용된다.

환봉 또는 두꺼운 강관에서는 교류 탈자로 충분한 탈자가 되지 못하는 경우가 있는데, 이것은 교류 자계의 침투 깊이의 영향으로 자력선이 시험체의 내부까지 충분히 도달하지 못하기 때문이다. 이런 경우 여자코일의 자화 방향과 역방향으로 직류 자화를 걸고, 시험체의 잔류 자화를 감소시키는 직류 탈자를 병용해서 탈자하는 쉬운 방법도 있다.

교류를 사용한 탈자장치는 코일 내에 자성체 시험체를 넣으면 유도 전류가 발생하여 열이 발생하는 경우가 있기 때문에 시험체를 코일 내에 넣지 않도록 한다. 또 탈자장치의 탈자능력은 시험체의 재질, 치수, 이송장치의 속도 등에도 영향을 받기 때문에 이런 것을 충분히 고려한 탈자장치를 선택하여야 한다.

제 2 절 사용코일 종류와 와류탐상장치

1. 관통코일을 이용한 탐상장치

가. 관통코일을 이용한 비자성용 탐상장치

동, 알루미늄 및 그 합금, 오스테나이트계 스테인레스 강 등의 비자성을 나타내는 선, 봉, 관 등에 이용된다. 이러한 탐상에 사용되는 장치의 구성은 대부분 탐상장치의 기본형으로 되어 있다.

와전류 탐상기는 시험체의 재질, 치수 등에 적합한 검사 주파수를 선정하여야 한다. 이 시험 주파수는 낮은 주파수로부터 높은 주파수까지 검사 주파수를 연속적으로 변할 수 있는 장치 또는 재질과 치수가 일정한 시험체를 검사하는 경우에 실험 또는 경험 등으로 가장 적절한 검사 주파수를 한가지로 결정한 고정 주파수의 장치도 있다.

시험코일은 검사 주파수에 적합한 것을 사용하는 것이 바람직하며, 검사 주파수가 떨어지고 검사장치의 부하가 커지는 등의 불량한 상태가 일어나기 때문에 시험코일의 선정은 코일의 내경(충전율)과 함께 주의가 필요하다.

파형 관측장치는 CRT를 사용해서 동기검파기의 출력 신호 파형을 관측하는 것이 좋고 기록계에 표시되지 않는 신호, 밸런스 상태 등을 감시할 수가 있다.

나. 관통코일을 이용한 자성용 탐상장치

철, 니켈, 코발트 및 그 합금 등의 강자성을 나타내는 선, 봉, 관 등에 사용된다.

자성용의 탐상장치는 비자성용 장치의 구성에 직류 여자코일(냉각 장치를 포함), 직류 여자용 전원을 추가한 것으로 강자성체의 성질을 갖는 시험체를 탐상할 수 있도록 구성되어 있다.

직류 여자코일은 여자용 직류 전원 장치와 함께 강자성체의 시험체를 자화시키기 위해 사용되나, 여자 능력이 작고 μ-노이즈(micron-noise)를 충분하게 소거할 수도 없다. 또 과도한 자화로 잡음 뿐 아니라 결함 신호까지 작게 하므로 시험편의 재질, 치수 등을 고려해서 자화할 필요가 있다. 자화를 해서 탐상하면 시험체에 자기가 남아 있기 때문에 이 잔류 자기를 제거하기 위해서 탈자장치가 필요하다.

2. 표면코일을 이용한 탐상장치

가. 코일이 회전하는 탐상장치

종래 널리 사용되는 관통형 탐상 장치로는 검출하기 어려운 긴 결함을 검출하는 방법으로써 회전코일을 이용한 회전 탐촉자 검사장치가 있다. 이 방식은 복수의 코일과 회전 신호 전달부 및 구동장치의 조합에 의한 회전 기구부 전용의 탐상기, 기록, 경보, 마킹 선별 등의 각 장치로 구성되며, 비자성체와 자성체 모두 검사할 수 있다.

회전 기구부는 검출부와 신호 전달부로 구성되어 있다. 검출부는 2 또는 4개의 코일이 서로 마주보거나 십자형으로 배치된다. 각 코일은 기계적으로 조합되어 시험체의 외형에 합치될 때 연결 작동해서 개폐되는 것과, 각각 단독으로 조정하는 것 등이 있다.

코일에 의해 검출된 신호는 회전 변압기를 통해서 외부에 전달된다. 4개의 코일이 십자형으로 배치된 회전 탐상기의 경우에 있어서, 직진 이송된 시험체의 외경에 따라서 코일이 회전되지만 그 궤적은 4개의 나선(spiral) 형태가 된다.

만약 이송 속도가 그 회전수에 비해서 지나치게 빠르면, 4개의 궤적은 늘어나서 간격이 벌어져 탐상 불능 지역이 생기므로 짧은 길이의 결함이 검출되지 않는 경우도 있다. 따라서 이송속도는 코일의 회전수와 궤적의 폭 및 결함 길이에 의해 결정된다.

나. 복수형코일(multi-coil)을 이용한 탐상장치

이 장치는 복수 개(수 개에서 수 백개)의 코일과, 그것과 같은 수의 검출기 및 기록장치, 파형 관측장치로 되어 있다.

코일의 수가 많으므로 제원 설정 및 신호처리를 위해 마이크로 컴퓨터를 조립, 상위컴퓨터로부터의 지시에 의해 조정되는 장치도 있다.

회전 코일식에 비해 신호 전달 기구는 갖고 있지 않으나 코일은 정지형 또는 좌우 전후에 코일을 이동할 수 있는 이동형으로 되어 있다.

다. 시험체가 회전하는 탐상장치

1개 또는 복수 개의 시험코일과 그것에 대응하는 수의 검출기 및 기록계, 모니터와 시험체를 회전시키는 기구부로 되어 있다.

용도로는 길거나 짧은 관, 환봉의 축 방향 결함의 검출, 단면 원형상 부품의 자동 탐상에 사용된다.

종래의 관통식으로는 검출력이 떨어지는 큰 지름의 시험체 또는 관통코일로는 탐상할 수 없는 부품 등의 결함을 검사하는 목적으로 사용하는, 정밀도가 좋고 능률적인 장치이다. 또 이 장치에 의해 종래 자분탐상검사를 하지 않는 부품을 전자 유도법에 의해 자동탐상을 수행하는 것도 가능하다.

탐상기는 기본적인 구성으로 되어 있으나, 시험체 치수에 맞추어 밴드링(bandring)장치가 필요하다.

라. 열간의 시험체에 사용되는 탐상장치

관통식, 회전식, 복수형 식의 통상 시스템의 시험코일 및 시험체로부터 열의 영향을 받는 라인 상(on-line)의 장치에 방열 대책을 부가시킨 장치이다. 방열재로 사용되는 것은 공기, 물, 각종의 단열재 등이 있다.

방열 대책을 얻기 위해 통상의 시스템보다 감도가 떨어지는 경우가 있지만 열간의 상태에서 결함을 볼 수 있도록 처리한 방법이 제조 공정상 또는 가격 면으로 유리한 경우에 사용되고 있다.

마. 수동으로 사용되는 탐상장치

와류탐상장치에는 검사자가 탐상장치의 지시를 판독하므로 시험코일을 손으로 잡고 시험체의 표면 위를 주사시켜 시험을 행하는 것이 있다. 이런 종류의 탐상장치는 판의 표면, 관의 내면 등을 시험할 때 사용된다. 고로 시험코일에는 일반적으로 단일형 표면코일을 사용하는 것이 많다. 자동탐상의 경우와 달리 결함신호는 직류 전압의 레벨 변화를 얻을 수 있기 때문에 수동으로 사용되는 탐상기에는 결함 신호를 미터기(meter) 또는 오실로스코프로 관찰하는 것이 많다. 그러나 자동평형장치 및 필터가 사용되는 것은 적다.

검사자가 코일을 쥐고 시험체 표면 위를 주사시킬 때, 코일이 시험체에 대해 경사가 진다든가 하여 코일이 시험체 표면에 밀착되는 상태를 유지하기 어렵다.

코일의 주사에 따라 리프트-오프가 변하면, 코일에 발생하는 자속 중 시험체에 작용하는 자속의 양이 변하므로, 시험체내의 와전류가 변하고 코일의 임피던스가 크게 변한다. 이것을 리프트-오프 효과라고 하였다.

리프트-오프 효과에 의한 코일의 임피던스 변화는 결함에 의한 변화에 비해 상당히 크다. 리프트-오프 효과에 의한 임피던스 변화를 상세히 조사하면 리프트-오프가 작을때의 임피던스 변화가 상당히 크고, 리프트-오프가 커짐에 따라 변화는 작아진다.

이와 같이 코일을 표면에 주사시킬 때 약간의 리프트-오프가 생기면 코일의 임피던스는 크게 변한다. 따라서 코일을 이용한 탐상검사에서는 리프트-오프 효과를 억제하지 않으면 결함신호에 비해 신호가 크기 때문에 탐상을 행하는 것은 실제적으로 불가능하게 된다.

3. 내삽코일을 이용한 탐상장치

내삽코일을 이용한 탐상장치는 주로 열교환기 또는 복수기 등의 보수검사에 사용된다. 탐상장치는 그림 4-2에 나타난 탐상장치의 기본 구성으로 되어 있고, 필터가 저역(low-pass) 필터만으로 되어 이 출력 신호가 기록계에 나타난다.

바이패스(By-pass) 필터를 사용하지 않기 때문에 결함 위치의 파악 및 감육 측정 등을 행할 수 있다. 최근의 장비로는 결함 출력 신호의 위상각을 깊이의 변수로 하여 표시하는 방법도 있다.

또 지지관(baffle plate)의 영향을 제거하기 위해 1개의 코일에 여러 개의 검사 주파수를 동시에 걸어 시험을 하여 필요 없는 신호를 제거하는 다중주파수의 탐상장비도 있다. 내삽형 탐상장치는 주로 비자성체 검사에 사용되고 있지만 현재 자성체관에 대한 검사에도 시험 주파수를 높게 하거나 자화장치를 사용하는 등 여러 가지 방법으로 개발하여 검사의 정밀도를 향상시키고 있다.

4. 다중주파수를 이용한 탐상장치

와전류를 이용한 검사는 탐상시험, 재질시험, 두께 측정 등 여러 가지 목적으로 사용할 수 있다. 또한 와류탐상시험은 시험체의 전자기 특성, 균열 등의 불연속, 시험코일과 시험체와의 상대적 위치 등 많은 인자에 의해 영향을 받는다. 여기서 탐상검사를 행하는 경우를 생각해 보면 기타의 요인에 의한 영향은 잡음을 발생하게 되므로 이러한 잡음이 큰 경우에는 신뢰성이 높은 시험을 하기가 곤란하다. 그래서 잡음을 제거하고 와전류시험이 신뢰성 향상을 위한 방법으로 시험코일에 2개 이상의 시험주파수를 동시에 사용하여 시험을 행하는 이른바 다중주파수를 이용한 탐상시험이 채용되었다.

결함 검출 신호(S)와 잡음신호(N)에서, 와전류의 주파수에 따라 침투 깊이가 다르기 때문에 일반적으로 이러한 신호와 잡음의 크기 및 위상이 차이가 있다. 그래서 다중주파수를 이용하여 S/N비를 향상시켜 시험의 신뢰성을 높일 수 있다.

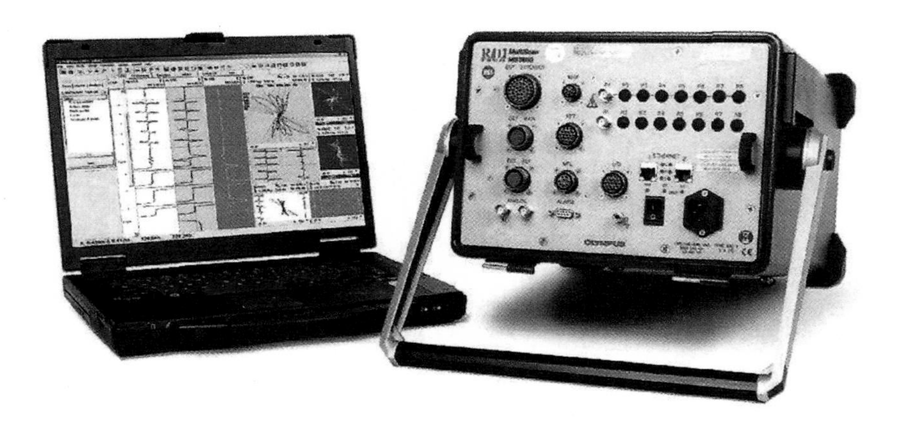

〔그림 4-10〕 복수기 검사용 내삽형 탐상장치의 예

다중주파수를 이용한 탐상시험이 널리 적용되고 있는 것은 열교환기 또는 복수기(condencer)에 대한 배관의 보수 검사들이 있다. 이러한 배관은 관의 내부로부터 검사가 가능하다. 또 단기간에 많은 양의 관을 빠른 속도로 검사해야 하기 때문에 내삽코일을 이용한 탐상 시험이 적용되고 있다. 그러나 이러한 배관은 자성체의 지지판에 의해 지지되고 있어 이 지지판이 잡음을 발생하는 요인이 된다. 이런 요인 때문에 한 개의 주파수로 탐상할 경우에는 결함 검출 및 분석이 곤란하다. 그래서 복수의 주파수를 동시에 시험코일에 가해서 지지판에 의한 잡음을 제거하는 방법이 채용되고 있다.

제 3 절 표준(대비) 시험편

1. 시험편의 사용 목적

와류탐상검사에 사용되는 표준시험편은 시험체와 동일한 재료에 인공 결함을 가공한 것으로 다음과 같은 목적으로 사용된다.

1) 장치의 조정, 점검 : 시험감도 등 시험장치의 조정, 점검 및 합부 기준 설정

2) 장치의 성능 점검 : 탐상기 등의 장비의 특성 확인 및 점검

시험장치의 조정, 점검에서 대비 시험편은 일반적으로 이송장비를 사용해서 시험체와 같은 모양, 동적인 상태에서 시험을 행한다. 시험장치의 조정은 대비 시험편을 탐상해서 얻은 지시로부터 탐상기의 감도, 위상, 필터, 리젝션, 경보 장치의 동작 레벨 등을 조정하고 검사에 적합한 조건을 설정한다. 또 검사 도중에 장치가 정상적으로 작동하는 가를 확인하는 것이 중요하다. 정기적 및 검사 전, 종료 시에 대비시험편을 사용해서 점검을 행한다. 이러한 점검 행위를 검교정(calibration)이라고 통칭하여 사용되기도 한다.

표준시험편을 이용한 검교정(calibration)이 필요한 경우는 다음과 같다.

① 교대 근무(Shift change) 때마다 해야 한다.

② 테이프(Tape)나 chart roll이 시작될 때와 끝날 때마다 해야 한다.

③ 같은 조정(setting)으로 계속 검사 중에도 최대로 4시간마다 해야 한다.

④ 다음 중 어느 한 부분이라도 적용될 때 해야 한다.

- 계기 조정이 바뀔 때(감도, 위상, 밸런스 등)
- 고장 발생 후 수선했을 때
- 프로브, 케이블, 기록계 등을 교체했을 때

⑤ 어느 순간이라도 데이터(data)에 이상이 있다고 판단될 때(예로 100% hole 신호가 40°(위상각)가 안 된다든지 50% full scale이 안될 때 등)

⑥ 기타 필요하다고 판단될 때

2. 표준시험편에 사용되는 인공결함

항상 검사에 사용되는 표준시험편은 검사에 연관된 규격에서 정하고 있다.

KS-D-0251 "강관의 와류 탐상 검사 방법"에서는 시험편으로 사용되는 재료는 재질, 치수, 표면 상태 등이 시험체와 동등하여야 하고, 인공 홈의 종류로 각 홈, 줄홈, 드릴 구멍으로

규정하며 또한 인공 결함의 가공 방법으로 기계 가공, 방전 가공, 줄 등으로 가공한다고 규정하고 있다.

만약 시험편과 검사체의 재질이 다르면 전도율 또는 투자율의 차이가 있어 동일 대비 결함에 대해서 지시의 차, 탐상감도의 차가 생긴다. 또 표면 상태의 차는 잡음 레벨의 차를 발생시키므로 시험편으로 적당하지 않다.

대비시험편에 있는 결함은 대비 결함이라고도 하지만, 일반적으로 검출을 목적으로 하는 결함과 형상, 치수가 다르므로 결함과 대비, 대조하여 참조, 사용한다.

대비 결함으로 사용되는 결함의 종류로 관통 드릴 구멍 및 슬릿(slit)또는 노치(notch)가 가장 많이 사용된다.

결함 지시는 형상으로부터 판독하므로 드릴 구멍은 점 또는 길이가 짧은 결함에 대응하고, 축방향의 슬릿은 축방향의 균열, 선상 결함 등의 길이를 갖는 결함에 대응하고 있다. 또 가공 위치에 대해서도 같은 모양으로 관의 외부 또는 내표면에 가공한 대비 결함은 각각 내외 표면의 결함에 대응한다.

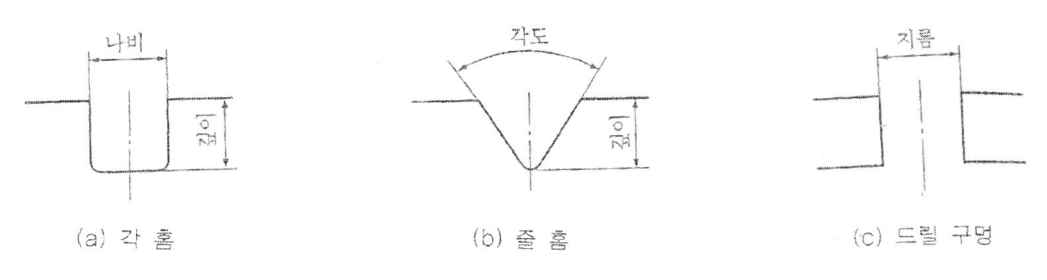

〔그림 4-11〕 인공 홈의 단면(KS D 0251)

3. 표준시험편의 종류

표준시험편의 종류는 정해져 있지 않으며 검사하고자 하는 시험체의 특성과 치수에 맞는 시험편을 제작하여 비교할 수 있어야 한다. 다음에 열거하는 시험편은 일반적으로 기준이 되는 시험편에 대해서 기술한 것이다.

가. ASME 표준시험편

열교환기 튜브 등을 내삽형이나 관통형 코일을 이용하여 와류탐상검사를 할 때 사용하는 시험편으로 시험 주파수의 교정, 위상각과 감도를 교정하기 위해서 사용하며 그 기준은 100% 관통홀과 20% 표면 감육이다.

그림 4-12는 ASME 표준시험편의 기본구조를 나타낸 것이다.

LOCATION	A	B	C	D	E	F	G
DEPTH	20%	10%	20%	40%	60%	80%	100%
DIA. OF DEFECT	NOTE 2 1/16"	1/8"	3/16"	3/16"	7/64"	5/64"	NOTE 1

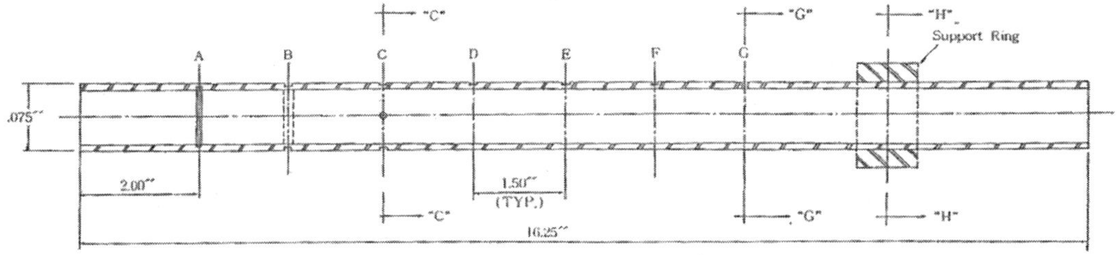

〔그림 4-12〕 ASME 표준시험편의 구조도

나. 표면균열시험편

표면형 코일을 이용한 기계 부품이나 용접비드, 항공기용 엔진 부품이나 날개 등을 검사할 때에는 균열이 크기별로 존재하는 시험편과 실제 검사체와의 신호비교를 통해 결함위치와 크기를 추정할 수 있다.

그림 4-13은 일반적으로 사용되는 균열시험편과 신호지시를 나타내었다.

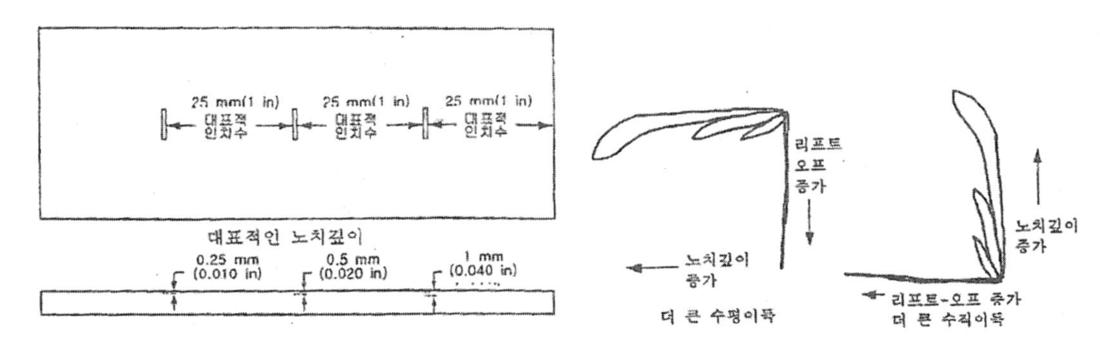

〔그림 4-13〕 표면균열시험편의 형태 및 신호지시의 예

다. Bolt hole 시험편

Bolt hole 시험편은 표면형 코일을 이용한 항공기부품의 볼트구멍 및 기계부품의 구멍(hole)을 검사할 때 사용되며 홀 프로브(Bolt hole probe)를 이용하여 검사한다.

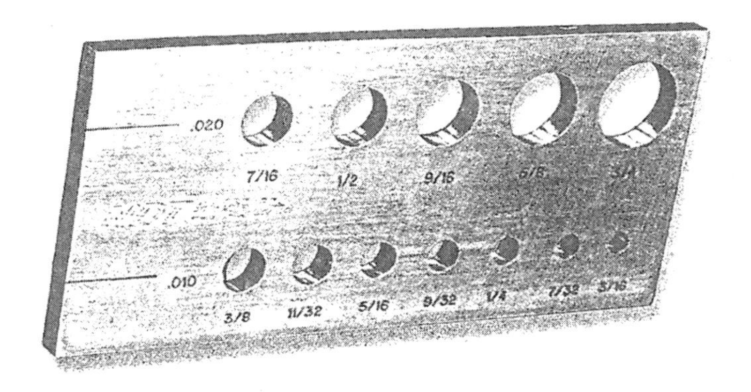

〔그림 4-14〕 Bolt hole 시험편

4. 표준시험편의 취급 및 보관

가. 표준시험편의 취급

표준시험편을 사용한 조정 작업에 대해서 주의해야 하는 점을 들면 다음과 같다.

① 조정 작업은 검사 개시 전, 충분하게 장치를 예열한 후 행한다. 정기적으로 점검하고 재조정한다.(일반적으로 4시간마다 조정한다.)

② 동종의 장치가 설치되어 있는 경우 조정은 각 장치에 대해서 실시하고, 하나의 장치로 얻어진 감도, 위상 등의 설정을 다른 것에 맞춰서는 안 된다. 장치의 종합 감도는 개별적으로 조정할 필요가 있다.

③ 검사 중에 조정 손잡이를 만진 경우에는 표준시험편을 사용하여 재조정한다. 기록하고 있었던 원래의 눈금에 되돌리는 것은 허용되지 않는다.

나. 표준시험편의 보관

표준시험편의 취급, 보수 관리에 주의할 점은 다음과 같다.

① 대비시험편의 재질, 치수, 결함치수 등을 알기 쉽게 표시해 놓는다.

② 취급은 신중하게 실시하고, 구부러짐이나 요철(凹凸)부위가 생기지 않도록 한다.

③ 녹을 제거하기 위해서 표면을 연마하거거나 가열 등을 해서는 안 된다.

【 익 힘 문 제 】

1. 와류탐상장치의 기본요구사항 5가지를 설명하시오.

2. 탐상장치에서 평형회로(브릿지 회로)의 작용은 무엇인가?

3. 와류탐상장치에서 기본시험 회로는 무엇인가?

4. 와류탐상검사에 이용되는 부속장치는 무엇인가?

5. 탐상장치에서 증폭회로는 어떤 기능이 있는가?

6. 탐상장치에서 자기포화장치의 기능은 무엇인가?

7. 다중주파수를 이용한 탐상장치의 주목적은 무엇인가?

8. 표준시험편의 사용목적은 무엇인가?

9. 표준시험편에 사용되는 인공결함은 어떤 것이 있나?

10. 표준시험편을 이용한 검교정이 필요한 경우는?

제 5 장 와류탐상검사 방법

제 1 절 검사 방법

와류탐상검사에 사용되는 검사 방법을 분류하면 시험코일이 임피던스 변화의 검출방법에 의한 분류 또는 자기 비교 방식, 표준 방식과 같은 시험코일 사용방식에 따른 분류 방식 등이 있다.

1. 시험코일 사용방식에 따른 분류

가. 관통코일을 이용한 검사 방법

이 방법은 원주형 코일을 관통해서 시험체를 송부하여 검사를 행하는 것으로 관, 환봉, 선 등의 탐상검사에 적합하다. 또 시험코일이 시험체의 외면에 있어 코일의 자장이 외측으로부터 작용하기 때문에 외표면의 결함 검출에 우수하다. 관의 내표면 결함에 대해서는 자장이 침투할 수 있는 검사 주파수를 사용하여 검출할 수 있다.

나. 내삽코일을 이용한 검사 방법

이 방법은 관의 중심에 동심의 원주형 코일을 넣어 내측으로부터 탐상하는 방법으로 열교환기 배관의 보수 검사 등의 검사에 사용된다. 이 방법은 코일의 자장이 시험체의 내면으로부터 작용하기 때문에 내표면에 있는 결함 검출에 적합하다. 외표면의 결함에 대해서는 관통코일의 경우와 같이 자장이 외면에 침투되는 검사 주파수를 사용한다.

다. 표면코일을 이용한 검사 방법

이 방법은 시험코일을 검사할 시험체의 표면에 접근시켜 검사를 행하는 방법으로, 관통코일 및 내삽형 코일과 비교해서 자장이 작용하는 영역이 좁기 때문에 미세한 표면 결함 검출에 적합하다. 이 검사 방법은 기계 부품의 검사 또는 시험체 표면을 주사하는 방법으로 환봉 등의 탐상에 이용된다.

표 5-1은 사용하는 시험코일의 종류에 따라 분류한 검사 방법을 표로 나타낸 것이다.

표 5-1 시험코일에 의한 검사 방법의 분류

	적용할 시험품	주 적용 검사
관통코일을 이용한 검사 방법	관, 봉, 선	제품 검사 제조 공정에 따른 검사
내삽코일을 이용한 검사 방법	관, 구멍부	보수 검사
표면코일을 이용한 검사 방법	판, 강괴, 환봉 관, 기계 부품	제품 검사 제조 공정에 따른 검사 보수 검사

2. 시험코일의 임피던스 변화의 검출 방법에 의한 분류

임피던스 변화의 검출 방법에 의한 시험 방법은 다음의 3가지 기본 형태로 분류된다.

(1) 임피던스 시험(impedance testing)

(2) 위상 분석 시험(phase analysis testing)

(3) 변조 분석 시험(modulation analysis testing)

가. 임피던스 시험

임피던스 시험이란 재료 또는 시험체의 임피던스 변화를 측정하는 방법이며 기본적인 출력표시는 육안으로 볼 수 있는 미터기(meter器)이다. 시험체를 와전류 코일로 탐상하면 임피던스 변화의 원인이 되는 재료의 변화(전도성, 투자율 또는 치수변화 등)가 진폭이 되고 미터기의 바늘이 움직이게 된다.

이 방법은 여러 가지 제한 사항이 있기 때문에 임피던스의 변화만으로는 결한 검출의 원인이 되는 임피던스 변화의 원인을 알기 어렵다.

나. 위상 분석 시험

가장 많이 사용되는 와류탐상검사 방법으로, 위상 분석 모드(mode)를 적용하고 있으며 위상 분석 방법으로는 다음의 세 가지로 분류된다.

(1) 백터점법(Vector point method)

(2) 타원법(Elipse method)

(3) 선형시간축법(Linear time base method)

이 세 가지 방법은 각각 CRT 스크린 상에 나타나는 지시 모양으로 시험 정보를 얻을 수 있다.

이런 형태의 시험 방법은 시험편과 불연속부에 대해 가능한 한 많은 것이 나타나도록 설계되어 있다.

1) 백터점법(Vector point method)

이름이 암시하듯이 점(点)으로 CRT 상에 나타난다. 이 방법의 회로 설계는 시험코일로부터의 신호가 점으로 나타나게 되어 있다.

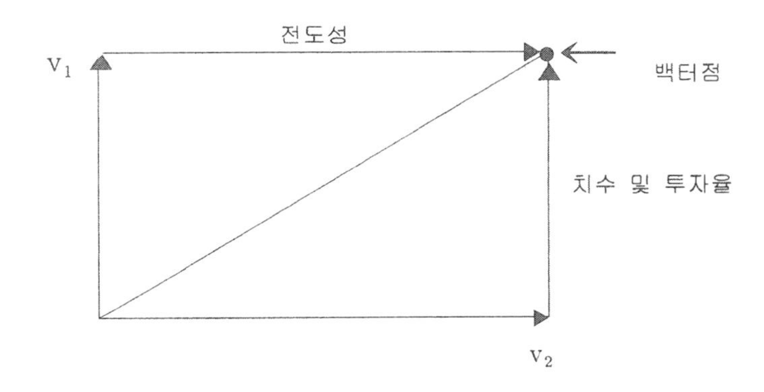

위의 그림에서 보듯이 전도성, 치수 및 투자성이 변하면 점의 위치도 변할 것이다. 즉 치수와 투자성이 변하면 점은 수직으로 움직이는 것이다. 다시 말해서 수직 이동은 치수와 투자성의 변화를 의미하는 것이다. 반대로 수평 이동은 시험체상에서 전도성의 변화를 의미한다.

만약 시험체에 결함이 없으면 이 점은 이동하지 않을 것이다. 또한 여기서 시험체의 자기포화를 이용하여 투자성을 배제하면 전도성과 치수 변화만 남게 되므로, 치수 변화의 특성은 수직상으로 이동하는 점에 의해 알게 된다.

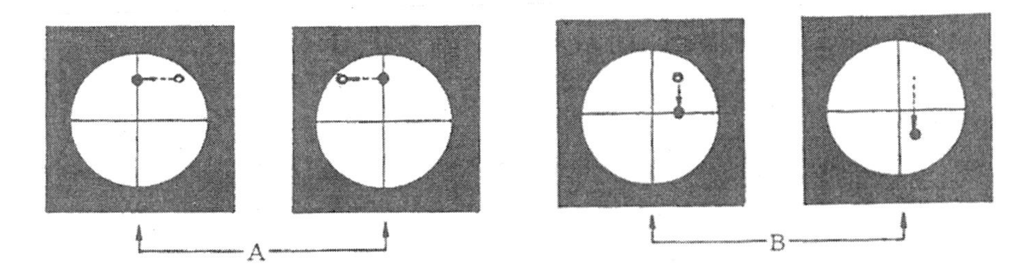

(A는 전도성 변화에 의한 수평 이동, B는 치수 변화에 의한 수직 이동을 나타낸다)

〔그림 5-1〕 Vector point method의 지시 모양

2) 타원법(Elipse method)

타원법은 차동 코일을사용하여 전압 V_R을 CRT의 수직판 상에 나타나게 하고, 신호 발생기로부터의 신호는 AC 전압에 의해 수평판 상에 선을 형성한다.

치수변화는 전압을 수반하므로 CRT 상에 경사진 직선 형태로 나타난다. 그러나 균열 등의 불연속부가 시험체에 존재한다면 코일의 전도성 변화를 가져오므로 타원형의 신호가 나타나게 된다. 또한 타원형이 기울어 있는 형태로 나타나면 치수 변화와 전도성 변화가 동시에 존재하는 것을 알게 된다.

기울기의 각도가 크면 큰 변화임을 의미하며, 타원형의 폭이 크면 역시 큰 변화임을 알 수 있다. 고로 CRT에 나타난 위치와 형태로부터 치수 변화와 전도성 변화를 구별할 수 있고, 불연속 부의 대략의 깊이와 길이를 측정할 수 있는 것이다.

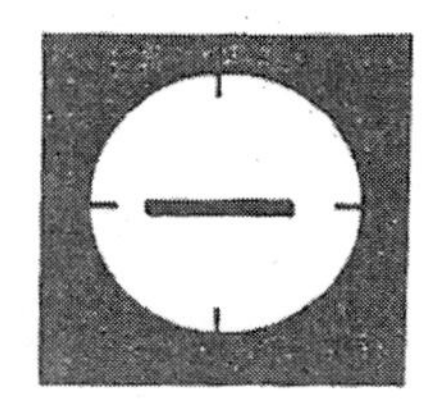

무결함
(Zero Differential)

치수 결함
(전압 변화)

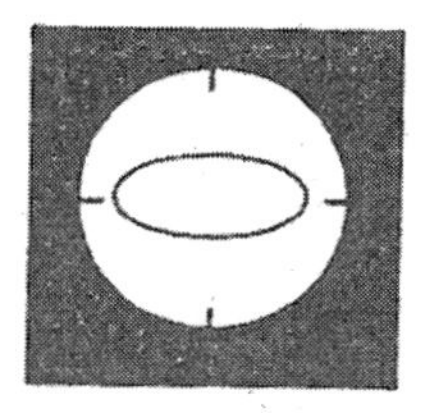

전도성 결함
(상 변화)

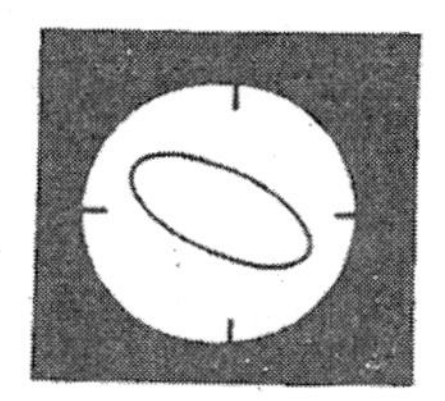

치수 및 전도성 결함

〔그림 5-2〕 타원법의 지시 모양

3) 선형 시간축 법(Linear time base method)

이 방법은 타원법과 마찬가지로 차동 코일을 사용하여 CRT의 수직판 상에 신호를 넣는 방법이며, 다른 신호의 모양이 수평판 상에 위치하게 되는 것이 차이가 있다.

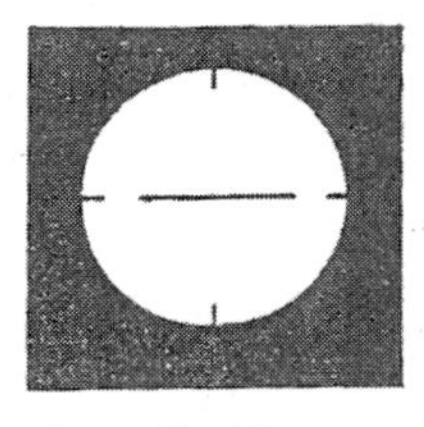

무 결함

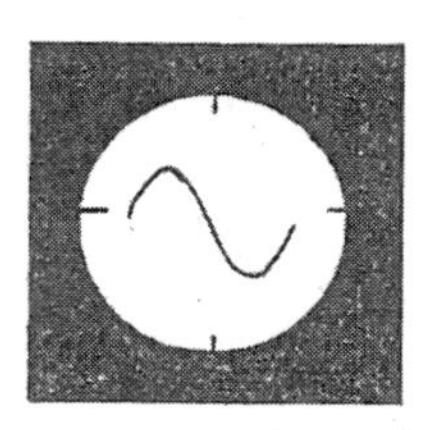

유 결함

〔그림 5-3〕 선형 시간축 법의 지시 모양

그림 5-3에서 보는 바와 같이 시험체 상에 결함이 있으면 이 방법에서는 CRT상 AC

파형이 나타남을 볼 수 있다. 이 파형은 평형(balance)과 위상 조정(phase control)에 의해 모양과 위치를 조절할 수 있다.

다. 변조 분석 시험

변조 분석 시험은 기록계(chart recorder)를 이용한 방법으로, 불연속부가 관찰될 때 종이 위에 펜이나 바늘 형태의 기록 장치로 기록하는 방법이다. 시험코일로부터 수신된 신호는 기록침에 전달되고 이 신호가 기록침을 움직여 종이 위에 신호크기를 기록으로 남긴다.

투자성, 치수, 경도 변화 등의 특성에 의해 코일에서 발생되는 여러 신호를 가지고 균열, 시험편의 기공과 같은 불연속부를 구별하는 것은 매우 어렵다. 또한 잡음이 동시에 나타나기 때문에, 불연속부의 신호와 잡음을 분리시키기 위해 필터를 전자 회로 안에 설치하여 잡음을 걸러내고 원하는 신호만을 나타내는 방법이 변조 분석 시험 방법이다.

3. 검사의 적용

와류탐상검사의 목적에 의한 구분으로 제조 공정에서의 검사, 제품 검사 및 보수 검사를 들 수 있으나, 검사의 적용으로 분류하면 표 5-2와 같다.

표 5-2 와류탐상검사의 적용

구 분	목 적
제조 공정에서의 검사	제조 공정 중에서 검사를 행하고 중간에서 불량품을 제거하거나 불량이 발생하지 않도록 공정을 관리함
제품 검사	제조의 최종 공정에서 검사를 하고 제품의 합부를 판별함
보수 검사	배관등 설비된 것에 대해 보수 관리를 위하여 검사를 함. 대부분의 경우 정기적으로 함
연구, 개발 등	검사 장치, 재료 개발을 위한 시험 연구

실제 검사에서는 생산 공장에서의 검사와 같이 제조 공정에서의 검사와 제품 검사를 병행할 목적으로 적용되는 경우도 있다.

검사는 그 목적, 시험체의 종류에 따라 검사 시기, 장치, 검사 방법, 합격 기준도 다르다.

제조 공정 중간에서 행하는 검사에서는 결함 발생을 똑바로 알고 대처할 수 있도록 단계적으로 행하고 제품 검사는 가공의 최종 단계에서 한다.

제품 검사를 목적으로 한 탐상 검사에서는 제품의 주문주와 제조자간에 검사 결과의 신뢰성을 높이기 위해 검사의 세부 사항에 대해 미리 협의하고 결정하여야 한다. 이것을 사양의 지정이라 한다.

사양의 지정 항목으로는 다음과 같은 사항이 있다.

1) 시험체, 수량
2) 기준 규격
3) 검사를 행하는 시기
4) 검사 장치
5) 검사 조건 : 검사 주파수, 검사 속도, 자기 포화의 유무, 시험체 표면 상태
6) 대비 시험편 : 대비 결함의 종류, 치수, 가공 방법
7) 합부 판정 기준
8) 기록의 내용 : 시험 기술자 자격 등

사양 지정에 따라서 신뢰성이 높은 검사를 실시하기 위해서는 탐상 장치의 취급 방법, 검사 작업의 순서, 조건 등을 명확히 정한 검사 절차서 또는 지시서를 작성한다. 작업자는 이러한 검사 절차서에 따라 검사를 행하여야 한다.

4. 검사 방법

가. 검사 준비

1) 대비시험편의 준비

대 시험편의 사용 목적은 장치의 조정, 점검 및 성능 점검 등에 있으므로 대비시험편에 의한 탐상기의 감도, 위상 경보 장치의 동작 레벨 등을 조정하고 시험에 적합한 조건을 설정한다. 또 검사 도중에 장치가 정상적으로 작동하는가를 주기적으로 확인하는 것이 중요하다.

대부분의 탐상검사에서는 지시 모양의 크기로부터 시험체의 합격, 불합격을 나누고, 그 합격 기준의 설정은 규격 등에 정해진 대비 시험편의 인공 결함 지시를 기준으로 한다.

대비 시험편을 사용해서 설정한 탐상 감도는 탐상기의 이송 장치, 자기포화 장치 등 검사 장치가 전체로 해서 나타나는 탐상 특성이 있고, 이것을 일반적으로 검출력이라 부르고 있다. 검출력은 결함의 신호와 잡음의 신호의 비로 표시한다. 대비시험편에 의한 장치의 점검은 탐상장치의 구입 또는 보수 관리를 위해 성능을 점검하고 있다.

2) 검사 방법 및 탐상장치의 선정

검사 방법 및 장치는 시험체의 재질, 형상, 치수, 검출할 결함의 종류 등을 고려해서 신중하게 결정하여야 한다. 결함 검출은 검사 방법 또는 장치의 특성에 의존해서 변화하기 때문에 예비 검사를 행하여 선정하는 것이 좋다. 또 장치의 취급에 대해서는 제조자의 취급 설명서, 기술 자료(data), 예비 검사의 결과를 기초로 해서 검사 기준서를 작성하고 충분히 습득한 후 수행하여야 한다.

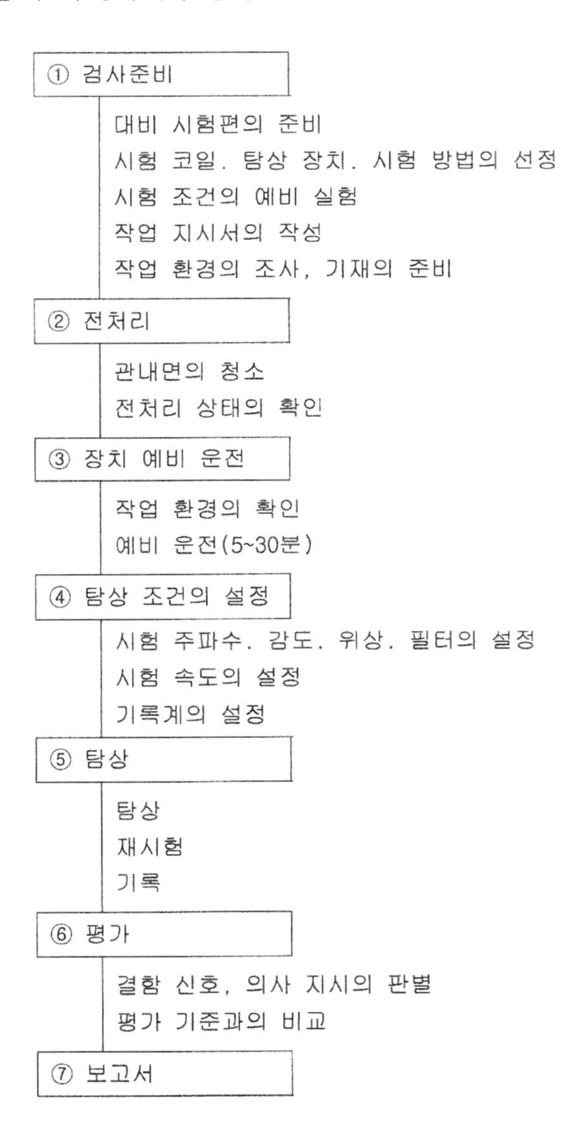

〔그림 5-4〕 탐상검사의 흐름도

3) 시험코일의 선정

시험코일은 시험체, 검출할 결함 및 장치에 적합한 치수, 전기적 특성 등에 따라 이에 적절한 특성을 갖는 것을 이용한다.

환봉, 관, 선에 사용되는 관통코일은 특히 충전율이 결함 검출력에 영향을 주기 때문에 가능한 큰 충전율의 코일을 사용한다. 일반적으로 60%(0.6) 이상이 바람직하다.

시험코일은 대부분의 경우 자기 비교형이 사용되지만, 코일의 형식 및 임피던스 값이 장비에 합당한 것을 사용한다. 시험코일의 적부는 대비 시험편을 사용한 검사로 확인한다.

나. 전처리

시험체에 부착된 금속분(紛), 산화 스케일, 유지의 부착 등을 제거하는 것을 말한다. 금속분, 산화 스케일은 의사 지시의 원인이 되는 경우가 있다. 특히 비자성 재료에 부착된 강자성체에서 현저하게 발생한다. 또 시험체에 부착된 금속분 등은 코일부에 집적되어 탐상 결과에 영향을 주고 고장의 원인이 되기도 한다.

시험체의 끝단부에 구부러짐(曲)도 코일을 파손시키기 때문에 곡률이 심한 시험체는 미리 골라내어야 한다.

부착물의 제거는 일반적으로 압축 공기 또는 세정에 의해 시행하고, 강자성체에 부착된 철분에 대해서는 탈자를 행한 후 제거할 필요가 있다.

다. 대비 시험편에 의한 시험 조건의 설정

검사 장치에 통전한 후 장치가 안정되도록 충분한 예비 운전을 행한 후, 대비시험편을 이용하여 시험 조건을 설정한다. 예비 운전은 일반적으로 5~30분으로 한다.

검사 장치의 작동이 불안정하면 지시의 재현성을 얻을 수 없으므로, 시험 조건의 설정 및 시험의 실시는 예비 운전을 행한 후에 한다.

예비 운전 후 작업 순서에 따라 탐상기를 조정하고 시험 조건을 설정한다. 시험 조건의 설정에는 다음과 같은 것들이 있다.

① 검사 주파수
② 평형 회로
③ 감도
④ 위상
⑤ 필터 및 리젝션 레벨
⑥ 기록계, 마커의 레벨
⑦ 자기 포화 전류

1) 검사 주파수의 설정

검사 주파수는 주파수가 변하는 장치에서는 사양의 지정 또는 검사 절차서에 따라 설정한다. 검사 주파수는 결함의 검출 감도와 관계가 크기 때문에 중요하다. 일반적으로 검사 주파수는 표피효과(침투 깊이), 결함, 이송 속도 등을 고려해서 선정한다.

와류탐상검사에서는 와전류의 표피 효과 때문에 침투 깊이가 적은 조건에서 행하면, 내부결함 검출이 불가능하다. 고로 검사 주파수는 검출할 결함의 치수, 위치 및 전류의 분포 등을 고려해서 선정한다. 일반적으로 표피 깊이의 수 배의 깊이에 있는 결함 검출은 어렵다.

검사주파수를 선정하는 방법에서 코일 임피던스 변화를 이용하는 경우에는

① 결함에 의한 임피던스 변화가 최대가 되는 주파수

② 결함과 잡음의 임피던스 변화 또는 지시 신호의 위상차가 최대가 되는 주파수를 선정하는 방법이 있다.

「결함에 의한 임피던스 변화가 최대가 되는 주파수」의 관점으로부터 주파수를 선정시는 f/f_g = 15~50으로 한다.

시험체를 이송 할 때 흔들림에 기인한 잡음들이 현저한 경우에는 결함과 잡음의 위상차가 크게 되는 주파수를 선정하고, 위상 해석에 의해 검출력을 향상시키는 것이 유효하다. 또 관의 탐상에서 내외면 결함의 위상 판별을 하려면 내, 외면 결함의 위상차가 크게 되는 주파수의 선정이 중요하다.

2) 감도의 설정

대비 시험편을 사용해서 인공 결함의 지시가 소정의 레벨이 되도록 탐상기의 증폭 이득을 조정하는 것을 감도의 설정이라 한다.

감도의 설정은 시험체를 탐상하는 것과 동일한 이송 속도, 자기 포화, 검사 주파수, 발진 출력으로 한다. 탐상 감도는 계속 수행하는 위상, 필터, 리젝tus 등 기타의 시험 조건의 설정에 의해 변화하는 것이므로 이러한 조정을 완료한 단계에서 최종적으로 감도를 설정해야 한다.

감도 설정에서 인공 결함의 지시 크기는 보통 기록계의 full scale의 50~60%로 한다. 기록계의 감도도 이것을 기준으로 해서 설정한다.

3) 위상의 설정

동기 검파에 따라 위상 해석을 하는 탐상기에서 대비 시험편의 인공 결함이 충분히 검출되도록 이상기의 위상각을 조정하는 것을 위상의 설정이라 한다.

위상 설정은 일반적으로 대비 시험편을 적당한 감도로 위상각을 바꾸어 반복 탐상하고 결함이 가장 양호하게 검출되는 위상각을 선정한다.

위상의 설정 방법으로는 다음과 같은 것이 있다.

① 신호 잡음(S/N)비를 최대로 한다.

② 결함의 종류, 위치 등을 구별해서 검출한다.

신호 잡음비를 최대로 하는 위상의 설정은 흔들림에 의한 진동 잡음의 소거등에 사용되며, 지시 신호를 CRT 상에 벡터적으로 표시하는 장치에서는 잡음이 최소가 되도록 위상각을 설정한다.
결함의 종류 등의 식별을 위한 위상의 설정은 관의 내외면 결함의 식별에 이용되며, 전술한 것과 같이 검사 주파수와도 관계가 크다.

라. 검사 결과와 재검사

1) 지시의 확인

탐상검사의 준비와 검사 조건의 설정에 이어서 시험체의 탐상 작업을 실시한다. 검사의 결과는 기록계, 경보기, 마커(marker)에 의해 지시된다. 얻어진 지시의 확인 방법으로는 재검사 또는 육안 검사, 자분탐상검사, 침투탐상검사 등의 방법이 이용된다.
재검사는 얻어진 지시가 결함에 의한 것인가 아닌가 의심될 때 실시하며, 일반적으로 전회 실시한 동일한 시험 조건으로 검사하지만, 조건을 바꾸어 실시한 경우도 있다.
관의 내부의 육안 검사에는 내시경(bore scope) 등을 이용한다. 또한 표면의 미세한 결함, 내부에 존재하는 결함을 확인하는 방법으로는 절단해서 확대경 등으로 조사하는 방법도 있다.

2) 의사 지시

유해한 결함에 의한 지시가 아닌 것을 의사 지시라고 한다. 의사 지시의 원인은 다음과 같은 것이 있다.

① 이송 장치의 조정 불량에 의한 진동

② 시험체의 타흔, 롤마크, 잔류 응력, 재질 불균일

③ 자기 포화의 부족(자성체)

④ 외부 또는 탐상기 내부에 발생한 잡음(noise)

⑤ 관 끝단부

진동에 의한 지시는 불규칙하게 나타나는 경우도 있지만, 특정 롤러의 중심 불량에 기인하는 경우가 많다. 이 경우는 그 부분에 대응해서 기록지상 동일한 상대적 위치에 지시가 나타나는가로 확인할 수 있다.
조치 방법으로는 이송 장치를 재조정하는 것이다.
시험체의 타흔, 롤마크는 (凹)형태로 경미한 상태일 때, 그보다는 잔류 응력 등의 영향 때문에 큰 지시를 나타내고 있다.
재질 불균일, 잔류 응력의 경우는 확인이 어려우며, 철강 재료에서는 자기 포화의 값을 크게 해서 검사하기도 하고, 일반적으로는 위상 설정을 바꾸어 검사해서 조사할 수가 있다.

표 5-3 의사 지시의 원인과 특징

원 인	지시의 특징	확 인 방 법
1. 외부 전기 노이즈	재현성이 없다	재검사
2. 이송 장치의 중심 불량, 진동	시험품의 동일 위치에 발생하는 것이 많다	이송 장치의 수정후 재검사
3. 시험품의 불균일에 의한 지시 ① 꺽임 ② 타흔 ③ 롤마크 ④ 표면	국부적으로 특히 끝단 부근에 나타나기 쉬움. 타흔이 있어도 지시가 크게 나타난다. 미세한 치수 변화에서도 큰 지시가 되는 수가 있음.	재검사 및 육안에 의해 확인
4. 자기 포화 부족	전면적으로 큰 잡음이 있음.	자화 전류를 증가시켜 재검사

일반적으로 자기 포화의 부족은 잡음을 발생시킨다. 외부 잡음은 공장내 계전기, 전기 용접, 고주파 등으로부터 유도되어 생기는 일시적 변화이다. 이러한 지시는 재검사에 의해 확인한다.
또 탐상 장치에 전원의 잡음 방지기를 부착하거나 전원의 독립화를 하는 방법 등으로 방지한다. 검사작업 중에는 이런 잡음 지시의 변화에 충분히 주의해서 이상을 조속히 검지하는 것이 중요하다.
의사 지시의 원인, 특징, 확인 방법 등에 대해서는 표 5-3과 같다.

3) 재검사

다음의 경우에는 재검사를 한다.

① 지시가 결함인가 아닌가 의심이 날 때(의사 지시)

② 정기적으로 검사 조건을 확인 시 이상이 발견되었을 때

①의 경우에 대해서는 의사 지시 항에서 설명하였으며, ②의 경우 일정 검출 감도가 보증되지 않을 경우에는 전회에 확인한 시점 이후에 검사한 모든 시험체를 재검사하여야 한다.

장치의 안정에 염려가 있을 경우에는 자주 대비시험편을 검사해서 감도의 확인과 재조정을 행한다.

4) 검사 결과의 기록

검사 결과의 기록 사항에는 현장 사정에 따라 기록이 필요하다고 판단되는 요건을 추가할 수 있으며, 적어도 다음 항목은 포함되어야 한다.

① 검사 년 월 일

② 시험체명

③ 시험체의 치수(직경, 관두께 등)

④ 검사장비명(제작자, model)

⑤ 시험코일(크기, 종류)

⑥ 검사 주파수

⑦ 대비 시험편

⑧ 검사 속도

⑨ 검사 결과

⑩ 검사원의 성명, 자격, 서명

제 2 절 와류탐상검사의 적용

1. 강관의 와류탐상검사

가. 강관에 예상되는 결함

강관에 발생하는 결함은 그 제조 방법에 따라 종류, 형상, 발생 위치(내외표면)등이 달라진다. 결함의 정도, 발생 원인을 판별하는 데는 상당한 숙련이 필요하다.

와류탐상검사에서는 결함의 종류를 곧바로 판별할 수 있는 지시를 얻기가 곤란하고, 지시 또는 결함의 확인은 일반적으로 육안으로 행한다. 지시가 나타나도 유해하지 않은 결함의 경우에는 시험체를 불량으로 판정하지 않는다.

강관에 발생하는 결함의 종류에 대해서는 여러 가지 호칭이 있다. 표 5-4는 강관에 나타나는 결함의 예를 표시한 것으로, 동 표 중에는 관통코일 코일을 이용시 와류탐상검사에 의한 검출의 난이 정도를 표시하였다.

나. 강관의 탐상검사

1) 관통코일을 이용한 탐상

강관의 와류탐상검사의 대부분이 관통코일법이다. 이 경우의 불필요한 신호인자는

① 시험체의 치수(외경, 두께) 변동

② 시험체 투자율의 국부적인 변동으로 인한 잡음(자기 잡음)

③ 시험체가 관통코일 내를 통과할 때 발생하는 진동(흔들림)등이 있다.

자기 비교 방식의 코일을 사용하기 때문에 축 방향으로 길게 늘어난 결함의 검출이 곤란하며, 축방향의 짧은 균열, 미세 균열, 롤 마크(roll mark) 등의 독립 결함이 검출 대상이 된다. 이 방식은 외경 180mm 이하의 강관에 사용되고 장치도 비교적 간단하며, 고속 탐상(최대 400m/min 정도)이 가능하다.

일반적으로 외경이 커지면 검출 능력이 낮아지며, 미세 균열 등의 결함에 대해서는 상당히 유효한 방법이다. 이 방식은 중대 결함을 제거하기 위해 사용되는 예가 많다.

최근 본 검사법의 경향은 종래 결함 신호의 진폭, 위상이 겹쳐져 1개의 신호로 판정하고 있는 것을, 진폭과 위상의 정보를 독립적으로 검출해서 내외면 결함을 판정할 수 있도록 개선하고 있다. 또 탐상 조건(위상각, 진폭)의 자동 설정 장치 및 관통코일의 자동 구심 장치 등이 실용화되고 있어 검사의 신뢰성 향상에 기여하고 있다.

2) 표면형 코일을 이용한 탐상

최근 회전 탐촉자를 이용한 와류탐상장치의 강관, 봉강 등의 적용이 급속도로 확산되고 있다. 이 방법은 관통 코일법으로 검출이 곤란한 축 방향의 길고 늘어난 형태의 결함 검출이 가능하다.

이 방식에서는 리프트-오프가 일정하게 유지되는 것이 결함 검출력의 유지 및 향상에 필요하다.

리프트-오프 변동은

① 시험체의 주행 중의 진동

② 시험체 축심과 회전 중심의 불일치(편심 회전)

에 의해 발생하기 때문에 ①에 대해서는 펀치 롤(pinch roll)에 의해 ②에 대해서는 중심축을 일치시키는 기구를 사용함으로 억제할 수 있다. 회전 탐촉자를 이용한 와류탐상법에서는 일반적으로 흠집들이 축 방향으로 벗어난다 하더라도 검출할 수 있는 이점이 있다. 따라서 이 방법은 점차 그 적용 범위가 확대되고 있는 탐상방법이다.

표 5-4 강관에서 관찰되는 결함 사례(관통코일을 사용시)

결함 종류	형 식	발생 원인과 유해도	검출 정도
내외면 손상 (Seam)	관 내외면에 씌운 형태로 미세 균열이 관축에 기울어져 생긴다.	○ 불순물, 편석, 기공 등의 미접착 부분 ○ 유해한 결함	잘 검출됨
내면 줄기	내면 전 길이에 걸쳐 발생한 형태	○ plug등에 긁혀 생긴 손상 ○ 고급 강관에서는 손질하여 사용함	잘 검출되지 않음
내외면 pit	내외면의 점부식성 결함	○ 이물질이 밀려들어 간 것과 같이 움푹함 ○ 유해함	작은 것은 잘 검출되지 않음
Roller Mark	내면의 나선상의 요철	○ Roller 형상 불량 ○ Roller 조정 불량 ○ 무해함	큰 지시가 된다.(의사 지시)
표면 요철	내외면에 주름 형태의 요철	○ 윤활 불량, 과도한 축방향 연신에 따른 plug의 진동 ○ 일반적으로 무해	잡음 형태의 지시가 됨
Roll 손상	찰과상 같은 것이 계속적으로 생긴다.	○ Roll 또는 전극의 조정 불량 ○ 가벼운 정도의 것은 괜찮다.	잘 검출됨
Lap	좌우의 맞대기가 어긋나서 겹쳐짐	○ 성형 Roll,용접 Roll의 불량 ○ 가벼운 정도는 무해	연속되어 있는 것은 잘 검출되지 않음

2. 환봉강, 빌릿 등의 와류탐상검사

가. 환봉강, 빌릿 등에 예상되는 결함

환봉강은 통상 각을 갖는 빌릿(billet)를 압연 가공하여 만든다. 환봉강에 나타나는 결함은 빌릿에 잔존하는 것과 압연시에 생기는 것 등이 있다. 봉강에 발생하는 결함을 표 5-5와 같이 분류할 수 있으며 동 표에는 관통코일을 이용한 탐상검사로 검출할 수 있는 난이 정도를 표시하였다.

나. 환봉의 탐상검사

1) 관통코일에 의한 탐상

자기 비교 방식의 코일을 이용함으로 미세 균열, 부식 등의 독립 결함의 탐상에 효과가 있다.

압연 상태의 흑피 봉강, 냉간 압출재 등에 사용되지만

① 투자율 잡음 억제를 위해 충분한 자기 포화

② 압연 상태의 봉강에서 표면 거칠기의 영향을 억제하기에 적합한 코일의 선택 등이 필요하다.

냉간 압출 가공 후의 봉강에 관통코일에 의한 와전류 탐상법을 적용하는 것은 비교적 용이하다. 그 이유는 전원도가 양호하며 이송 라인의 속도도 압출 속도와 동등하기 때문에 충전율도 높게 될 수 있다. 표면 상태가 양호하므로 표면 거칠기에 의한 신호의 영향도 거의 없다.

최근에는 냉간 가공기의 일부로서 와전류탐상기가 함께 조립되어 있는 것도 있다. 그러나 원리적으로 자기 비교 방식을 사용하는 한, 길이를 갖는 결함의 검출에 문제가 있다. 본 탐상법이 근래에는 단접관, seamless관의 열간 탐상에도 적용되고 있다.

열간 탐상에서는

① 자기 변태에 따른 잡음

② 표면 스케일에 따른 잡음

등의 열간 고유 잡음 인자가 있으므로 주의해야 한다.

2) 표면형 코일에 의한 탐상

주로 냉간 압출 봉강을 대상으로 회전 표면 탐촉자식 와류탐상장치가 널리 사용되고 있다. 봉강의 표면 상태가 양호하고 진원에 가까운 시험체로서 깊이 50~100μm의 결함 검출이 가능하다.

표 5-5 환봉 강에서 관찰되는 결함

원 인	결함의 종류	형 상	특 징	검출의 난 이
소재빌릿	균열	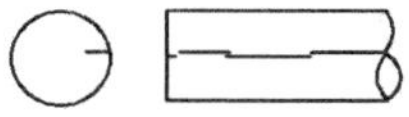	길이가 긴 것이 많다.	X
	선형 결함		압연방향으로 단속적인 발생	X
	미세 결함	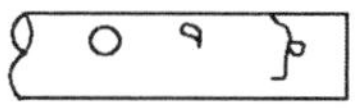	독립 흠함	O
가 공	압연 덧살	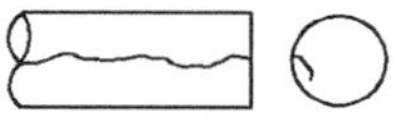	전장에 걸쳐 있음	X
	겹침	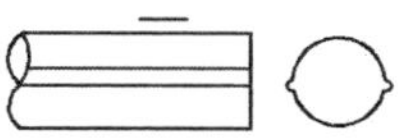	전장에 걸쳐 있음	X
	부식 roll mark		독립 결함	O

3) 빌릿 등의 표면형 코일에 의한 탐상

둥근 빌릿, 각 빌릿 등 반제품의 탐상에서는

① 표면 상태가 나쁘고

② 형상, 치수 정도가 제품에 비해 떨어지는 등의 요인에 의해 검출 성능이 낮아지므로 탐촉자 표면 윤곽인식(profile) 장치의 연구 또는 거리 감지기에 의한 리프트-오프 보정을 사용하여 빌릿 탐상을 실현한 장치가 적용되고 있다.

3. 배관 등의 보수 검사

가. 보수 검사 개요

검사에는 제품의 제작과정에 품질관리로 실시하는 제조 중 검사와, 제품이 설비로서 사용되고 있는 기간에 실시되는 사용중검사 또는 보수검사(ISI: In Service Inspection)가 있다.

검사 기술면에서 제조 중 검사와 보수 검사를 비교하면 검사 실시 환경에 대해서는 제조 중 검사의 경우 각종 탐상 검사법을 이용할 수 있고 검사 계획의 수립이 용이하다.

이에 비해서 보수 검사에서는 구조물로 완성된 상태에서 검사하기 때문에 와류탐상검사만이 실용 가능한 방법으로 선택의 여지가 없다. 검사 방법이 한정되어 있기 때문에 또한 세관 내부로부터의 탐상법이 되므로 프로브의 삽입 기술 등도 필요하다.

이와 같이 전열관에서는 보수 검사로 와류탐상검사법을 보완하는 검사법이 없기 때문에 뒤에서 설명하는 탐상 기술의 개량, 이용 기술의 개발을 추진하여 검사 목적을 달성할 필요가 있다.

검사 결과, 이상 지시가 검출되었을 때, 제조 중 검사의 경우 각 검사 수법에 의한 보완 기술로 해서 보완 가능하며, 그러한 데이터를 종합적으로 평가해서, 결함인지 아닌지를 평가하여 결과를 얻을 수 있다. 그러나 보수 검사에서는 보완 기술로써 신호 분석 기술의 개발이 필요하고, 이 기술이 없으면 검사의 목적을 얻을 수 없다. 이러한 보수 검사에서는 많은 제약이 생기기 때문에 충분한 검토를 한 후에 와류탐상검사를 적용하지 않으면 필요한 결함을 찾을 수 없다.

신뢰성 높은 검사를 위해 탐상 방식, 프로브 등을 시험체, 예상 결함 형상에 따라 개량하는 것도 필요하다. 또한 와류탐상검사만으로 그 지시가 결함이 아닌지, 결함의 깊이, 위치 등에 대해 결론을 내릴 수 없으므로 기술적인 부담이 극히 크게 된다. 그러나 최근의 검사 기술이 진보하여 탐상 방식의 개발, 신호 분석 기술의 개발이 이루어지고 결함 깊이의 정량적 검사가 가능하게 되어 전열관의 보수 검사에 대한 탐상 검사법으로 널리 활용되고 있다.

나. 8자형 신호에 의한 결함 평가

내삽코일을 이용한 관의 검사에서 결함 신호는 진폭 뿐 아니라 위상도 변화하므로 결함 신호에 대해서 2차원적인 관측이 필요하다. 이를 위해 배관의 보수 검사에는 그림 5-5와 같이 동기 검파기를 3개 사용해서 X와 Y가 되는 2차원적인 출력을 발생하는 와류탐상기가 사용된다.

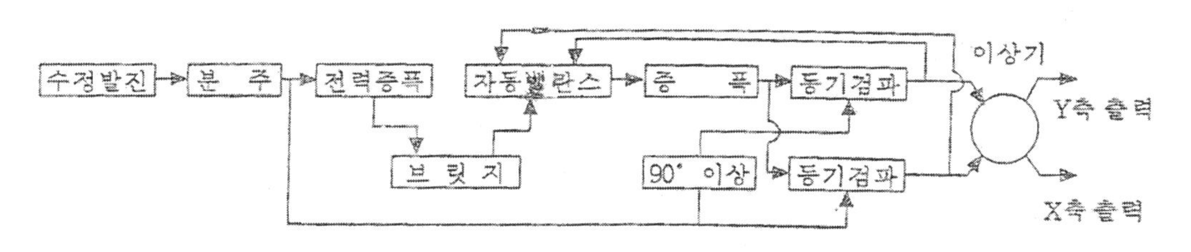

〔그림 5-5〕 Vector 표시식의 와전류탐상기

굴곡이 없는 직관의 경우에는 코일을 삽인하는데 문제가 없으나 U자형으로 곡율을 갖는 관의 경우에는 삽입하기 쉽도록 특수형 코일이 필요하다.

배관의 보수 검사시 결함을 검출할 때에는 시험코일과 관의 상대 위치의 변화에 따른 잡음 및 관의 재질 또는 형상의 변화에 따른 잡음의 영향을 받지 않도록 자기 비교방식의 시험코일을 통상 사용한다. 이 경우에는 2개의 코일의 응답의 차를 검출하기 때문에 결함 신호를 전압 평면상에 나타나고, 그림 5-6에서와 같은 8자형 신호를 나타낸다.

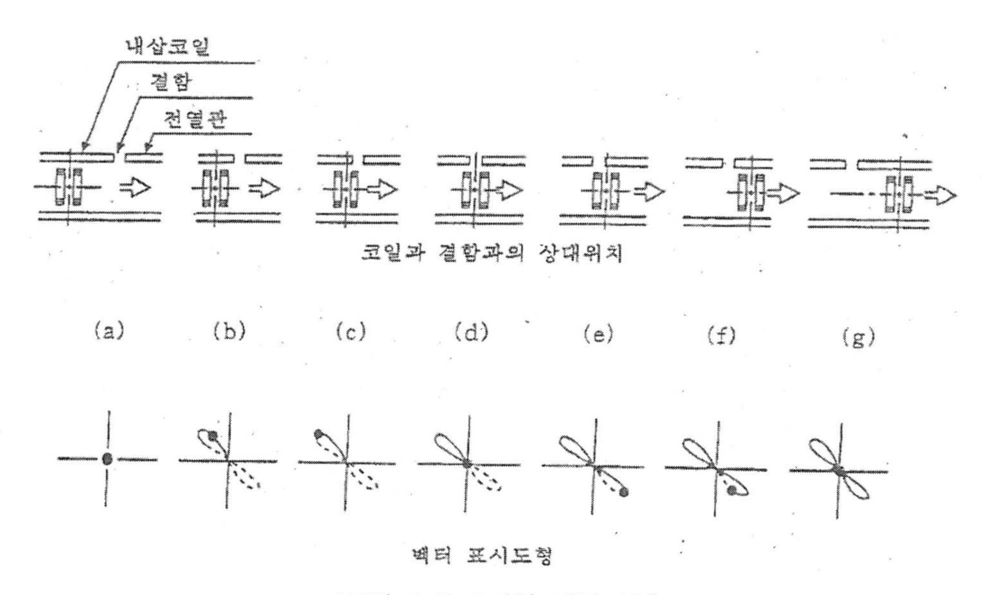

〔그림 5-6〕 8자형 패턴 신호

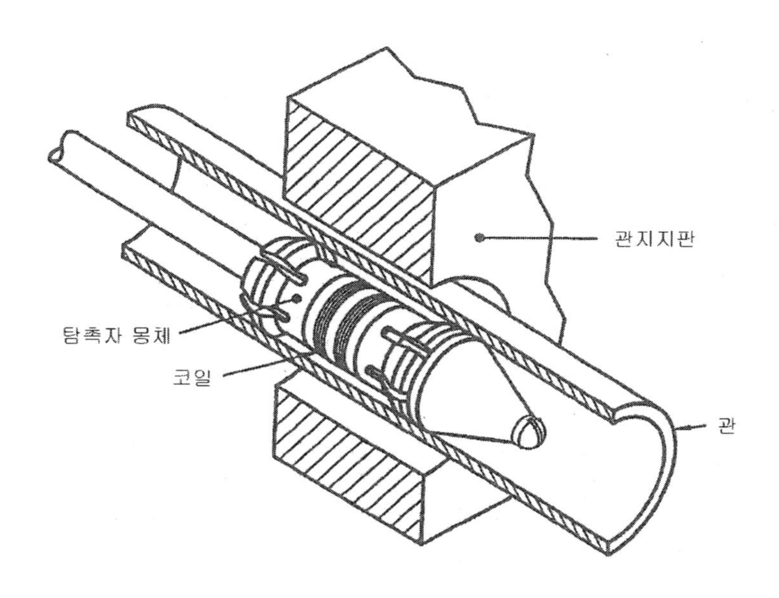

〔그림 5-7〕 관지지판과 관속을 통과하는 탐촉자 구조도

결함으로부터 코일이 충분히 떨어져 있는 경우에는 브릿지의 평형을 잡으려고 하면, 같은 그림(a)으로 나타낸 바와 같이 신호는 생기지 않는다. 코일이 이동해서 결함으로 접근하면, 한쪽의 코일이 결함의 영향을 받아 그 임피던스가 변화하기 때문에, (b)와 (c)와 같은 신호가 발생한다. 코일이 다시 이동해서 결함이 2개의 코일의 중앙에 위치하면 2개의 코일의 임피던스는 같아지므로, (d)와 같이 신호는 없어진다. 코일이 결함을 통과하면 다른 쪽의 코일이 결함의 영향을 받기 때문에, (e)와 (f)에 나타낸 바와 같이, (b)와 (c)는 역방향으로 신호가 발생한다. 이와 같이 결함에 의해 발생하는 신호는 8자 패턴을 그린다.

다. 주파수 교정절차

배관검사에 적용되는 규격인 ASME code에서는 탐촉자의 흔들림(probe motion)으로 인한 잡음 신호를 X축 방향에 수평으로 위상각을 조정하고 검사 주파수에서 관통 드릴홀에 대한 신호의 위상각을 40±5°로 한 후, 표준 시험편의 4개의 20~80%의 평저공 신호를 100% 관통홀 신호로부터 시계 방향으로 50°에서 120°사이의 위상각을 갖도록 교정표준(calibration standard) 신호를 요구하고 있다.

그림 5-8은 ASME code sec. V(Fig. I-862-1)에 명시된 시스템 교정(system calibration)시 요구되는 대표적인 신호이며, 관통홀에 의한 신호를 40°의 위상각으로 하면 관의 외면 결함에 의해 생기는 신호의 위상은 50~120°범위에 있고, 관의 내면 결함에 의해 생기는 신호의 위상은 0~40°의 범위가 된다.

라. 시험 조건의 설정

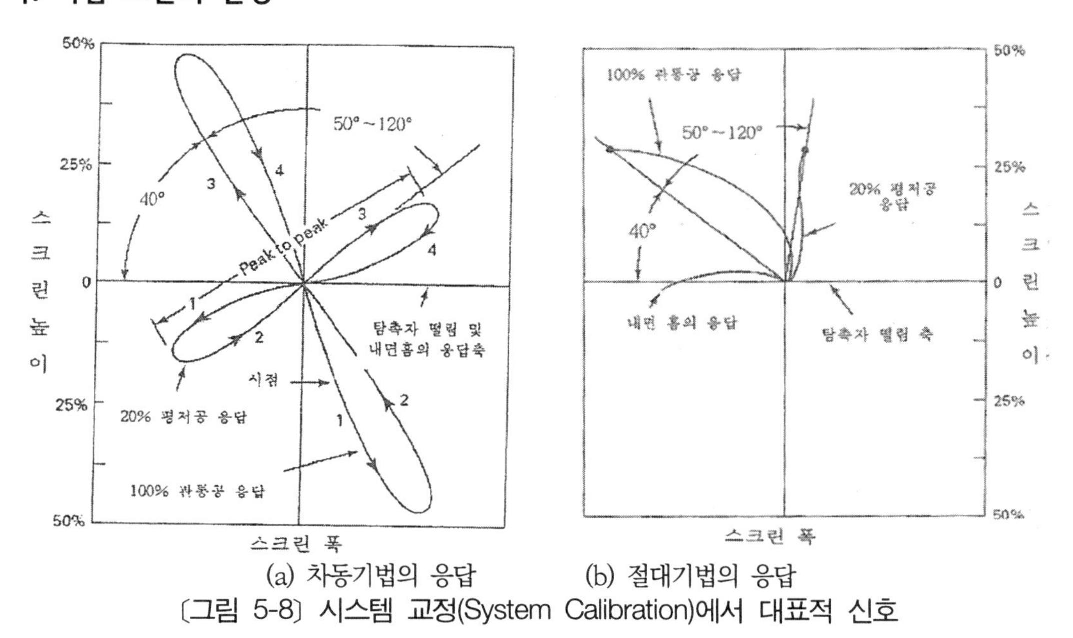

(a) 차동기법의 응답 (b) 절대기법의 응답

〔그림 5-8〕 시스템 교정(System Calibration)에서 대표적 신호

와류탐상검사에 의해 얻어진 결함 신호 및 잡음은 검사 주파수에 따라 다르기 때문에 결함의 검출에 적합한 주파수를 선정해야 한다. 보통 검사 주파수가 높으면 결함 길이에 의한 신호의 위상 변화가 크지만 위상 범위가 180°이상이 되면 결함 깊이의 식별이 곤란하다. 고로 신호의 위상 변화 범위가 180°이하가 되도록 검사 주파수를 선정한다. 탐상 검사에 적합한 주파수는 시험체의 전자기 특성 및 치수에 따라 다르다.

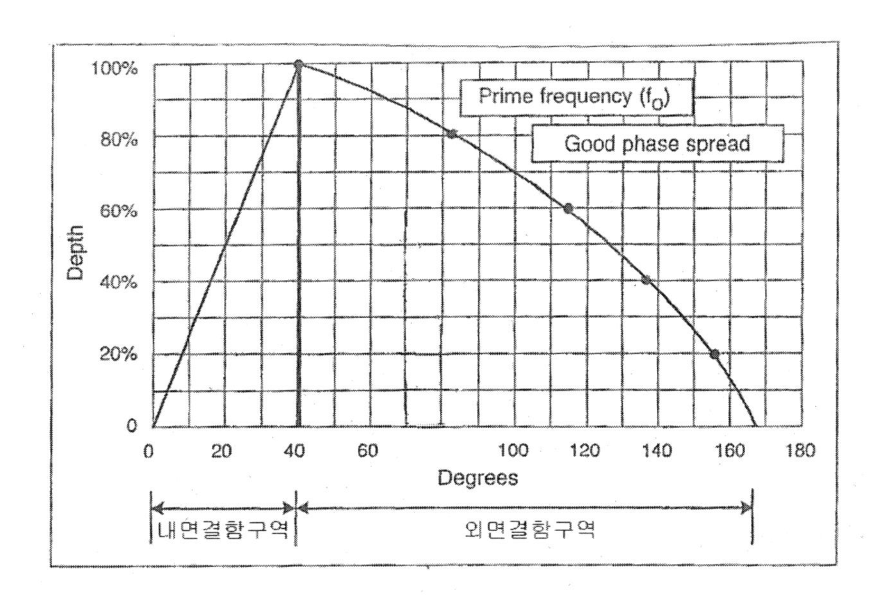

〔그림 5-9〕 위상각과 결함깊이 관계도

검사할 관과 동등 재질의 관에 인공 결함을 갖는 대비 시험편에 의해 검사 주파수를 선정한다.

와류탐상기의 위상 다이알을 돌리면 8자형 신호의 방향이 변하고, 위상 다이알에 의해 결함 신호의 위상을 자유로 바꾸어 관측할 수 있다.

와류탐상검사에서 발생하는 잡음은 직선에 가까운 궤적을 갖으며, 결한 신호와 워블(흔들림) 잡음의 위상이 다르다. 고로 대비 시험편을 사용해서 워블 잡음이 횡축과 일치하도록 탐상기의 위상을 설정한다. 이렇게 하면 종 축 상에 신호가 발생하는 것으로 결함이 존재하는 것을 알 수 있게 된다.

마. 잡음 대책

열교환기 및 복수기에 있는 많은 배관은 지지판(baffle plate)에 의해 지지되고 있고 지지판은 통상 자성체로 되어 있으므로 신호를 발생시킨다. 이 때문에 지지판 근처에서 발생하는 결함의 검출 및 평가가 어렵게 된다. 이 문제를 해결하기 위해 다중 주파수의 와류탐상검사가 행해지고 있다.

우선 지지판이 없는 위치에서 결함 검출 및 평가를 적절히 수행할 수 있는 검사 주파수를 설정한다. 다음에 검사 주파수의 $\frac{1}{2}$ 또는 $\frac{1}{4}$ 정도의 낮은 주파수를 보상 주파수로 선정한다. 이 2개의 주파수로 동시에 탐상할 경우를 생각하면 표피 효과 때문에 결함신호와 지지판 신호와의 비는 보상 주파수의 경우에 비해 검사 주파수 쪽이 크다.

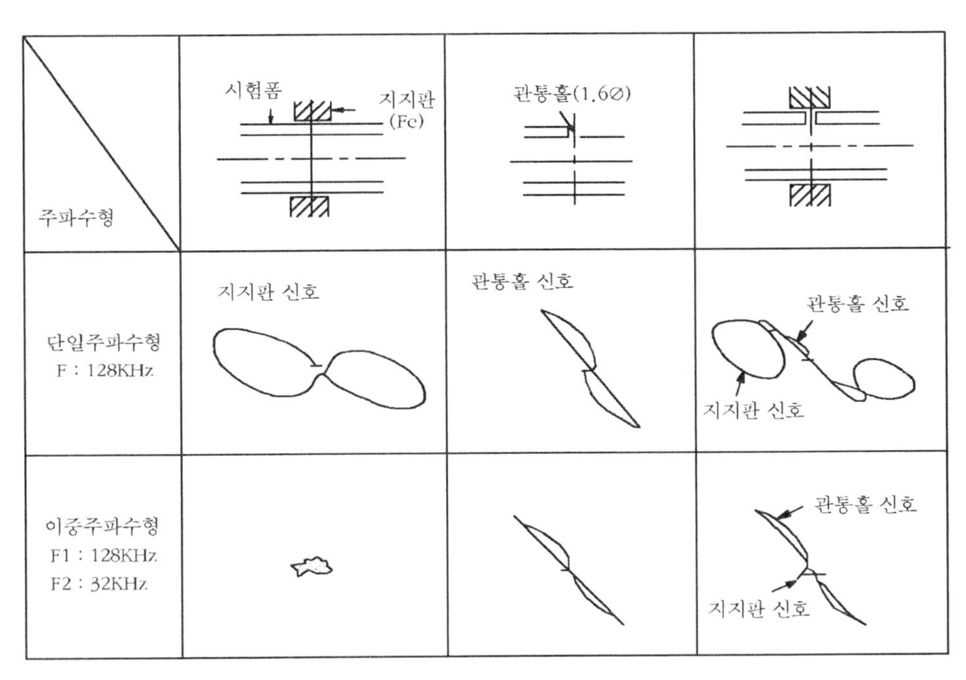

〔그림 5-10〕 단일 주파수형과 2중 주파수형의 탐상 비교

따라서 2개의 주파수에 의해 얻어진 지지판 신호의 크기가 똑같게 되도록 조성해서 소거하면 결함 신호만 남게 된다. 이러한 과정을 믹싱(mixing)이라 한다.

그림 5-10은 단일 주파수와 2중 주파수의 와류탐상검사 결과의 예를 나타낸 것이다. 단일 주파수의 와류탐상검사에서는 지지판에 의한 잡음이 크게 나타나지만 2중 주파수의 경우에는 지지판의 영향이 상당히 작게되는 것을 알 수 있다. 또 지지판의 직하에 관통 홀이 있을 때에는 단일 주파수의 경우에 지지판의 영향으로 8차형 신호가 크게 비틀려 있어 결함 판정에 영향을 미친다. 그러나 2중 주파수의 경우에는 지지판의 영향이 제거되어 관통홀의 신호가 확실하게 나타난다.

바. 배관에 발생하는 결함

배관에 발생하는 결함은 관의 재질, 온도, 응력, 접촉하는 기체 또는 액체의 종류와 그 함유 불순물 등의 사용 환경에 따라 다르고, 결함의 형상, 종류, 발생 위치 등 여러 가지 양상을 갖고 있다.

1) 균열

부식 환경 하에서 생기는 균열로는 응력 부식 균열이 대표적이다. 동합금판, 스테인리스강관, 인코넬(inconel)관 등에 있어서 환경, 응력 및 재질이 상호 관련해서 응력 부식 균열이 생긴다. 동합금관에서는 유리 알칼리가 균열의 촉진 인자로서 수중에서 알칼리 또는 불순물과의 반응으로 생기는 알칼리의 영향이 크다.

또 강관에서는 염소 이온의 영향이 크다. 응력 부식 균열 이외는 주로 결정립계에서의 균열이 있고 일반적으로 폭이 좁고 깊다. 응력 부식 균열 이외에는 열적반복 작용에 의한 열 피로 균열이 있다.

2) 점 부식(감육, pitting)

관의 두께가 국부적으로 감소하는 감육은 관에 접촉하는 액체 또는 그것에 함유된 불순물과의 화학 반응에 의해 생긴다. 즉 관 재질과 액체의 성분에 관련해서 그 화학 반응에 의한 국부적인 전지가 생기고 이온화한 분자 또는 원자가 전류와 함께 유실되어 부식이 진행된다. 따라서 배관에 적당한 전류를 흘린다던지 또는 액체 중의 이온을 소거하는 시약을 사용함으로 부식을 방지한다. 또 부식은 액체에 포함된 입자가 관 벽에 충돌함으로 생기는 마모에 의해 일어나기도 한다.

부식이 넓이를 갖지 않고 미세한 점 형태로 진행하는 것을 점 부식 또는 공식(pitting)이라 하며 오스테나이트 스테인리스강관의 해수에 의한 부식 등에서 볼 수 있다.

이상과 같은 배관의 부식은 사용 중에 진행되고, 결국은 관 벽을 관통해서 누설 사고를 일으키기도 한다.

4. 도막 두께 측정

가. 장치와 측정 범위

와류탐상검사에 의한 도막 두께 측정은 그 피막의 재질이 금속인가 비금속인가 또는 모재의 금속이 자성체인가 비자성체인가에 의해 다음과 같은 재료의 조합이 적용된다.

1) 비자성 금속상의 비전도성 피막

예를 들면 알마이트 처리 피막, 알루미늄상의 테프론 피막, 플라스틱, 유리 코팅, 도장 피막측정 등 이러한 종류의 도막 두께 측정계는 전자 유도의 리프트-오프 효과를 이용하고, 지시계에서 측정 두께를 바로 읽을 수 있도록 되어 있다.

2) 비자성 금속상의 비자성 금속막

예를 들면 동, 크롬, 아연 등의 도금 두께의 측정 등.

이러한 종류의 측정계는 피막의 소재와 모재 금속과의 전자기적 차이가 적은 표준 시험편에 의해 교정 곡선을 작성해 놓을 필요가 있다.

표 5-6 주파수의 선정과 측정 범위의 예

주파수	측정대상 (도금)	측정대상 (모재)	측정범위 (μ)
2 MHz	동	철	2~5
	카드미움	철	5~50
	아연	철	5~50
	니켈	철	5~20
	니켈	동	5~30
	니켈	황동	5~30
500 KHz	비자성 금속상의 비전도성 피막		5~2000
100 KHz	동	철	5~40
	카드미움	철	5~100
	아연	철	5~60
	니켈	철	5~70
	니켈	동	5~100
	니켈	황동	5~100

3) 자성 금속상의 비전도성 피막 및 비자성 금속막

예를 들면 철판 상의 도장 피막, 철판 상의 동 도금 등.

이러한 종류의 측정계는 비교적 검사 주파수를 낮게 설정하고 표면 코일의 두께를 바로 읽을 수 있도록 되어 있다. 도막 두께 측정계의 검출 코일은 일반적으로 표면 코일이 사용되며, 측정 대상 표면 코일의 결합이 다르므로 목적에 따라 가장 적절한 장치를 선택할 필요가 있다.

나. 표준 시험편 및 교정 곡선

일반적으로 도막 및 모재 금속의 종류, 시험코일의 조합에 있어서 도막 두께와 지시계의 관계(교정 곡선)를 미리 만들어 둘 필요가 있다. 바탕 금속 및 도막이 전도성이 있는 경우, 도막 두께를 측정하려는 모재 금속과 동의 재질의 것으로 측정한다.

교정 곡선의 작성에는 도막 두께를 알고 있는 표준시험편을 사용해서 다음과 같은 요령으로 작성한다.

우선 표면 코일을 바탕 표준판에 놓고 측정계의 영점을 조정 한다. 다음에 피막 두께를 알고 있는 표준판에 코일을 놓고 측정계의 지시계 바늘이 나타내는 눈금을 읽는다. 감도 조정기를 조정해서 100%를 나타내면 이 표준판보다 얇은 피막을 넓은 범위내에서 읽을 수가 있다. 다음에 동일 모재 금속위의 피막으로 먼저보다 얇은 두께의 알고 있는 표준판에 코일을 놓고 지시치를 읽는다. 이때에 감도를 조정하지 말아야 한다. 이와 같이 어떤 종류의 두께 표준판에 의한 지시치와 도막 두께와의 대응 측정으로부터 교정 곡선이 구해지고 필요한 모재 금속위의 도금 두께를 측정한다.

특히 도금의 표준 시험편을 만들 경우에는 측정할 모재 금속과 동일 금속 위에 정상의 생산 조건과 동일한 도금을 시공한다. 샘플은 정상 도금의 20~150%의 사이에서 도금 시간을 변화시켜 도금 두께를 변화시킨다.

제작된 샘플은 측정계로 비교 측정하고, 지시치가 동일한가를 확인하여 절단해서 2매로 한다. 도금 두께 측정은 1매의 단면에 대해 현미경 또는 비교 측정계(comparator)등을 이용하여 측정하고, 각각의 샘플에 대하여 도금 두께를 확인하고 이것을 표준판으로 한다.

다. 측정의 순서

도막 두께의 측정은 장치에 따라 다소 다르지만 일반적으로는 다음과 같은 순서로 장치를 조정한다.

1) 측정 대상, 범위에 따라 코일 주파수를 선정한다.
2) 전원 스위치를 넣은 후 충분히 위밍업 해서 사용한다.
3) 바탕 금속의 표준판 상에 코일을 수직으로 놓고 교정표에 따라 장치의 감도 조정을 한다. 장치의 영점 및 감도 조정은 2~3회 반복해서 한다.

기타 도막 두께 측정에 대해 (a) 끝부분 영향 (b) 탐상면의 곡률 (c) 표면 상태 (d) 압연 방향의 차이 (e) 표면 코일의 압력 (f) 온도 변화의 영향 등을 고려해야 한다.

제 3 절 규 격

1. 국내의 와류탐상검사 관련 규격

가. KS-D-0232-2005 강의 와류탐상시험 방법

이 규격은 원형 봉강(선재를 포함한 지름 2~100mm) 및 강관(외경 4~180mm)에 대하여 균열 기타의 결함이 있을 경우, 이것을 검출하는 것을 목적으로 하는 와류탐상검사 방법 중에서, 시험코일로서 관통코일을 사용하는 방법의 일반적인 통칙에 대하여 규정하고 있다..

나. KS-D-0251-2005 강관의 와류탐상검사 방법

이 규격은 외경 10~18mm, 두께 1~20mm인 이음매 없는 강관, 용접 강관 및 단접 강관의 관통형 코일을 사용하는 와류탐상검사 방법에 대해 규정함, 이 규격에 규정되는 이외의 일반 사항은 KS-D-0232(강의 와류탐상시험 방법)에 따른다.

다. KS-D-0214-1991 동 및 동합금관의 와류탐상시험 방법

이 규격은 이음매 없는 동 및 동합금판, 황동 용접관 및 기타의 결함이 있을 때 이것을 검출할 목적으로 하는 와류탐상검사 방법에 대해 규정하고 있다.

관의 적용 치수 범위는 외경 5~50mm, 두께 0.5~3.0mm로 하며 KS에 규정된 표준치수 범위내로 한다.

검사는 관통형 코일을 사용하고 1~100KHz 주파수 범위 내로 한다.

라. 전력 기술 기준(KEPIC) MEN 6000 와류탐상검사

- ASME를 주참고 기준으로 하고 KS를 부참고 기준으로 작성하였다.
- 이 기술 기준은 KS와 달리 원통형 코일외에 탐촉자 코일도 규정하고 있으므로 KS에 규정된 대비 시험편으로는 탐촉자 코일을 사용하는 와류탐상검사를 수행할 수 없다. 이에 따라 대비 시험편의 요건은 ASME의 규정을 채택하였다.
- 결함의 등급 분류(합부 판정 기준)은 일반 기계 기술 기준(KEPIC-MGX)에서 규정하므로 이 기술 기분에서는 제외하였다.

2. 외국의 와류탐상검사 관련규격

가. ASTM E 309-83 Standard Recomend Practice for Eddy Current Testing of Steel Tubular Products Using Magnetic Saturation.

※ 이 규격은 강관(강자성체)의 와류탐상검사의 일반 통칙을 규정하고 있다.

나. ASTM A 556-65 Standard Specification for Seam less Cold-dream Carbon Steel Feed water Heater Tubes.

다. ASTM A 557-69 Standard Specification for Electric Welded Carbon Steel Feedwater Tubes.

※ 나, 다 규격은 상기 재료의 와류탐상검사에 대한 대비 결함, 치수 및 채점 기준을 정하고 있다.

라. ASTM E 426-88 Recommended Practice for Electromagnetic(Eddy-current) Testing of Seamless and Weled Tubular Products, Austenitic Stainless Steel and Similar Alloy.

※ 이 규격은 오스테나이트계 스텐리스 강 등 비자성관 와류탐상검사의 일반 통칙을 규정하고 있다.
강자성 재료에 대한 E 309에 대응하는 것이다.

마. ASTM A 450-74a Standard Specification for General Requirements for Carbon, Ferritic Alloy, and Austenitic Alloy tubes.

※ 강관 일반에 대한 재료 규격이며 비파괴 검사 방법으로 와류탐상검사를 규정하고 있다.

바. ASME Boiler and Pressure Vessel Code Sec.XI(App.IV)

이 규격은 증기발생기 전열관의 와류탐상검사에 대하여 규정함. 특징으로는 관두께의 20% 이상의 깊이의 결함을 검출, 평가하는 것을 요구하며 장치, 시험 기술자, 검사 방법, 보고서에 관해 구체적으로 자세히 규정하고 있다.

사. ASME Boiler and Pressure Vessel Code Sec.V, Article 8,(App.I) Eddy Current Testing.

설치된 비자성체 증기발생기 전열관의 와류탐상검사 방법 및 장비의 요건 등을 정의한다.

아. B.S 3899(1996) Method for Non-destructive Testing of Pipes and Tubes.

Part 2A Eddy Current Testing of Ferrous Tubes.

Part 2B Eddy Current Testing of Nonferrous Tubes.

강관의 와류탐상검사에 대하여 규정한 것으로, 인공 결함으로 드릴 구멍(Drill hole)을 채용하고 있다.

자. 기타 관련 규격

- ASTM B 342-63 Standard Methods of Test for Electrical Conductivity by use of Eddy Current
- ASTM B 244-65 Measuring Thickness of Anodic Coating on Aluminum with Eddy Current Instruments.
- ASTM E 703-70 Electromagnetic(Eddy Currents) Sorting of Nonferrous Metals.
- ASTM E 566-82 Electromagnetic(Eddy Currents) Sorting of Ferrous Metals
- MIL-STD-1537A Electrical Conductivity Test for Measurement of Heat Treatment of Aluminum Alloys, Eddy Current Method.
- MIL-STD-2032A Eddy Current Inspection of Heat Exchanger tubing on ships of the United States Navy.

【 익 힘 문 제 】

1. 와류탐상검사 방법 중 시험코일의 종류에 따른 분류를 설명하시오.

2. 시험코일의 임피던스 변화의 검출방법 3가지를 설명하시오.

3. 와류탐상검사의 사양의 지정항목을 열거하시오.

4. 와류탐상검사의 준비사항을 설명하시오.

5. 검사 결과 재검사를 하여야 하는 경우는 무엇인가?

6. 의사지시의 원인이 되는 것은 무엇인가?

7. 강관에 예상되는 결함에는 어떤 것이 있나?

8. 환봉강에서 관찰되는 결함은 무엇인가?

9. 보수검사(배관)시 관찰되는 결함은 무엇인가?

부 록

(I)

◈ 한 국 산 업 규 격 와류탐상시험 관련규격 ◈

- **KS-D-0232**

  〔강의 와류탐상시험방법〕

- **KS-D-0251**

  〔강관의 와류탐상검사방법〕

한국산업규격 KS

강의 와류 탐상 시험 방법 D 0232 : 2005

Method for eddy current testing of steel products by encircling coil technique

1. 적용 범위

이 규격은 원형 봉강(선재를 포함해 지름 2~100mm) 및 강관(바깥지름 4~180mm)(이하 시험체라 한다.)에 존재하는 깨진 곳, 기타 흠이 있는 경우, 이를 검출할 것을 목적으로 하는 와류 탐상 시험(이하 시험이라 한다.) 방법 중 관통 코일(이하 시험 코일이라 한다.)을 사용하는 방법의 일반 사항에 대하여 규정한다.

2. 인용 규격

다음에 나타내는 규격은 이 규격에 인용됨으로써 이 규격의 규정 일부를 구성한다. 이러한 인용 규격은 그 최신판을 적용한다.

KS B 0550 비파괴 시험 용어

3. 정 의

이 규격에서 사용하는 주된 용어의 정의는 KS B 0550과 같다.

4. 지정 사항

시험에 관해서는 다음의 사항을 지정한다.

a) 시험의 시기

b) 시험체의 표면 상황

c) 시험 장치

d) 시험 코일

e) 대비 시험편

f) 시험 주파수, 시험 속도 등의 시험 조건

g) 자기 포화의 유무와 탈자의 필요 및 불필요

h) 합부 판정의 기준

I) 관련 규격

j) 기타 필요 사항

5. 시험 기술자

시험을 하는 자는 필요한 자격 또는 이에 상당하는 충분한 지식, 기능 및 경험을 가진 자여야 한다.

6. 시험 장치

6.1 구 성

시험 장치의 주된 구성은 탐상기, 시험 코일, 기록 장치, 이송 장치(시험 코일 지지대를 포함하며 이하 같다.) 및 자기 포화 장치로 구성된다. 다만, 자기 포화 장치는 생략해도 좋다.

6.2 탐상기

탐상기는 발진기, 전기적 신호를 처리하는 전기 장치, 표시 장치 등으로 구성되고 그 기능 및 성능은 다음과 같다.

a) 형식, 시험 주파수, 지시의 표시 방식은 시험 목적에 맞는 성능을 가져야 한다.

b) 0～40℃의 환경 온도 및 ±15%의 전원 전압의 변동에서 안정되게 작동하고 또한 외부로부터의 전기잡음에 대해 보호되는 것이어야 한다.

6.3 시험 주파수

시험 주파수는 원칙적으로 0.5～1 024 kHz의 범위에서 적절한 주파수로 한다.

6.4 시험 코일

시험 코일은 다음과 같다.

a) 시험 코일은 시험의 목적, 시험체의 치수 및 사용하는 탐상기에 적합해야 한다.

b) 시험 코일의 형식 및 방식은 그림 1과 같다.

시험 코일의 방식	시험 코일의 형식	
	자기 유도형 : S	상호 유도형 : M
자기 비교 방식 : B	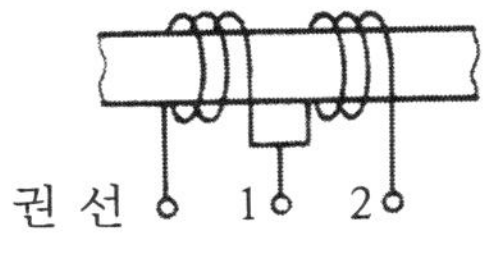 권 선 1 2	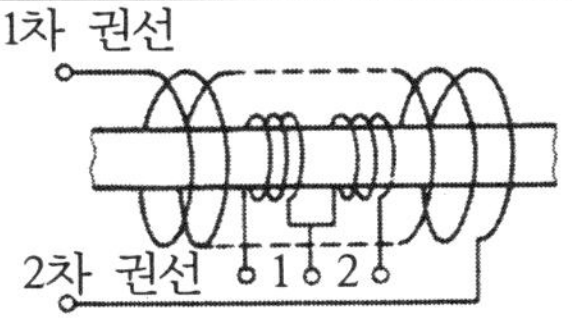 1차 권선 2차 권선 1 2
표준 비교 방식 : A	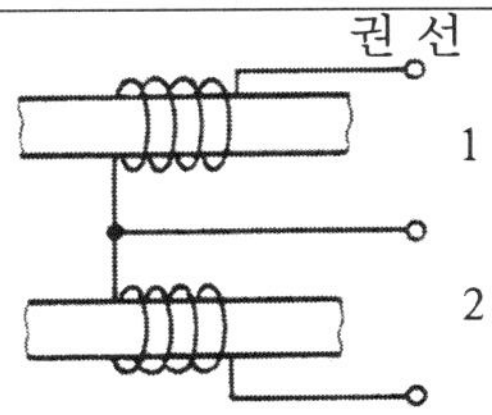 권 선 1 2	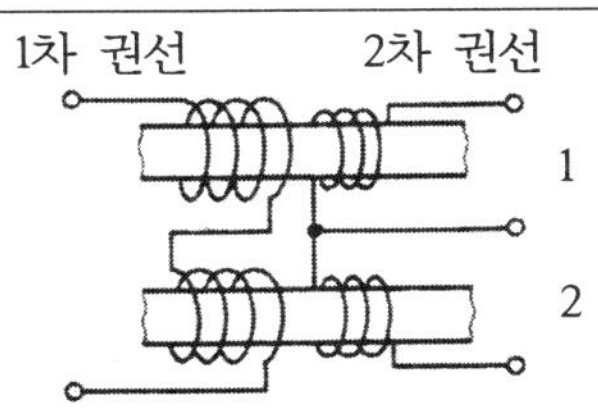 1차 권선 2차 권선 1 2

[그림 1] 시험 코일의 형식 및 방식

c) 시험 코일의 치수 표시 방식은 그림 2와 같다.

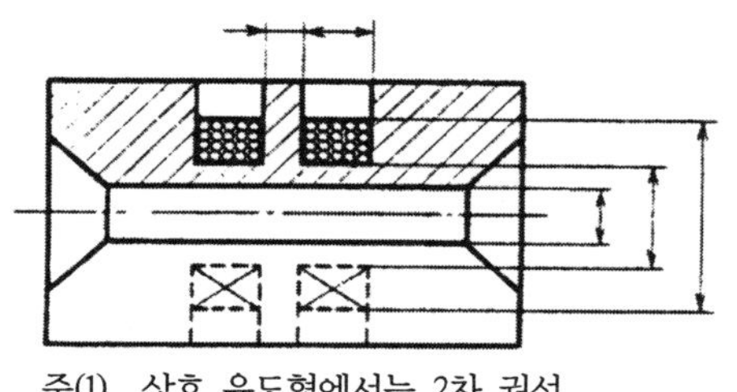

a : 관통 구멍의 지름(mm)
b : 시험 코일 권선(1)의 안지름(mm)
c : 시험 코일 권선(1)의 바깥지름(mm)
s : 시험 코일 권선(1)의 간격(mm)
l : 시험 코일 권선(1)의 길이(mm)

[그림 2] 시험 코일의 치수 표시 방식

또한, 시험 코일의 시험체에 대한 치수를 나타내는 양으로서 충전율을 사용한다. 충전율의 계산은 다음식과 같다.

$$\eta = \frac{d^2}{D^2} \times 100$$

여기에서 h : 충전율(%)

d : 시험체의 바깥지름(mm)

$D = \frac{b+c}{2}$: 시험 코일 권선(1)의 평균 지름(mm)

d) 시험 코일의 표시는 표 1과 같다.

[표 1] 시험 코일의 표시 방법

표시순서	항목	표시방법
1	시험 코일의 형식	자기 유도형 : S, 상호 유도형 : M
2	시험 코일의 방식	자기 비교 방식 : B, 표준 비교 방식 : A
3	관통 구멍의 지름(a)	mm 단위로 나타낸다.
4	시험 코일 권선의 평균 지름(D)	mm 단위로 나타낸다.

보 기 SB－20－22…자기 유도형, 자기 비교 방식으로 관통 구멍 지름 20mm, 시험 코일 권선의 평균 지름 22mm인 시험 코일의 경우

6.5 기록 장치

기록 장치는 탐상기에서 얻어진 디지털 또는 아날로그 출력을 기록하는 것으로 목적에 맞는 방식과 성능을 가져야 한다.

6.6 이송 장치

이송 장치는 시험체 및 시험 코일에 진동을 주지 않고 시험체가 시험 코일의 중심을 통과하며 시험체를 일정한 속도로 운송하는 것이 가능해야 한다.

6.7 자기 포화 장치

자기 포화 장치는 시험체를 연속하여 자기 포화가 가능해야 한다. 또한 자기 포화 장치에는 원칙적으로 탈자 장치를 부속시켜야 한다.

6.8 시험 장치의 성능

시험 장치의 성능은 시험 목적에 적합하여야 하며 탐상 작업 및 결과의 판정 작업에 충분한 성능을 가져야 한다.

7. 대비 시험편

7.1 대비 시험편의 사용 목적

대비 시험편은 시험 장치의 종합 성능 확인, 시험 조건의 설정 및 확인을 위해 사용한다.

7.2 대비 시험편에 사용하는 재료

대비 시험편에 사용하는 재료는 시험체와 동일하거나 또는 유사한 성분, 치수, 표면 가공 및 열처리를 한 것으로, 와류 탐상 시험에 따라 흠과 혼동되는 잡음 지시를 발생시키지 않는지를 확인한 것이어야 한다.

7.3 대비 시험편의 흠

대비 시험편의 흠은 원칙적으로 인공 흠으로 한다. 다만, 흠과 명확한 대응이 되는 경우는 자연 흠을 사용하여도 좋다.

7.4 인공 흠의 가공

인공 흠의 가공은 방전 가공, 부식 또는 기계 가공에 따른다. 각진 흠은 시험체의 길이 방향으로 가공하고 드릴 구멍은 표면에 수직으로 가공한다.

또한 인공 흠의 위를 줄, 연마포 등으로 연마하거나 토치 램프 등으로 국부적으로 가열해서는 안 된다. 또한 인공 흠에 금속 분, 녹 등이 쌓이지 않도록 주의한다.

7.5 흠의 위치

대비 시험편의 각 흠의 간격 및 시험편 끝에서부터의 거리는 충분히 분리하여 검출이 가능한 길이 이상으로 한다.

7.6 대비 시험편의 인공 흠

대비 시험편의 인공 흠은 다음과 같다.

a) 대비 시험편인 인공 흠의 종류는 각진 홈 또는 드릴 구멍으로 하고 그 단면 모양은 그림 3과 같다.

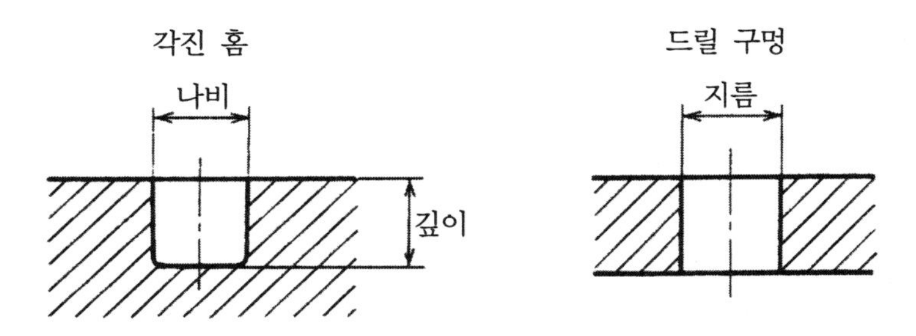

[그림 3] 인공 흠의 단면 모양

비 고 각진 홈일 경우 모양이 U자형이 될 수가 있으나 이것은 각진 홈과 동등하게 본다.

b) 인공 흠은 흠의 종류와 치수로 나타낸다. 인공 흠의 종류 기호는 각진 홈은 N, 드릴 구멍은 D라 하고, 인공 흠의 치수는 각진 홈에서는 깊이(mm) 또는 관의 호칭 두께에 대한 깊이의 비율(%)을 나타내고, 드릴 구멍에서는 관통 구멍의 지름(mm)을 나타낸다.

보 기 1. N－0.6…홈 깊이 0.6mm인 각진 홈의 경우

보 기 2. N－25 %…홈 깊이가 관 호칭 두께의 25 %인 각진 홈의 경우

보 기 3. D－1.2…지름이 1.2mm인 드릴 구멍의 경우

비 고 각진 홈에서 홈의 나비 및 홈의 길이를 표시하는 경우는 다음과 같다.
N－2.0/0.5－25…깊이 2.0mm, 홈의 나비 0.5mm, 홈의 길이가 25mm인 각진 홈의 경우

c) 원형 봉강 대비 시험편의 인공 흠은 각진 홈으로 하고, 그 호칭 방법 및 치수는 표 2와 같다.

[표 2] 원형 봉강 대비 시험편의 각진 홈의 호칭 방법 및 치수

단위 : mm

각진 홈의 호칭 방법	깊이	깊이의 허용차	나비	길이
N－0.1	0.1	±0.05	0.5 이하	25 이하 다만, 밑부의 양끝에서 길이의 10%까지는 짧아져도 된다.
N－0.2	0.2			
N－0.3	0.3			
N－0.4	0.4			
N－0.6	0.6			
N－0.8	0.8			
N－1.0	1.0			

d) 강관 대비 시험편의 인공 흠은 각진 홈 또는 드릴 구멍으로 하고 그 호칭 방법 및 치수는 표 3 및 표 4와 같다.

[표 3] 강관 대비 시험편의 각진 홈의 호칭 방법 및 치수

단위 : mm

각진 홈의 호칭 방법	깊이	깊이의 허용차	나비	길이
N - 5% N - 10% N - 12.5% N - 15% N - 20% N - 25% N - 30% N - 40% N - 50%	호칭 두께의 5 % 호칭 두께의 10 % 호칭 두께의 12.5 % 호칭 두께의 15 % 호칭 두께의 20 % 호칭 두께의 25 % 호칭 두께의 30 % 호칭 두께의 40 % 호칭 두께의 50 %	±15 % 다만, 최소값은 ±0.05로 한다.	1.5 또는, 홈 깊이 3배의 어느쪽이나 작은값 이하로 한다.	25 이하 다만, 밑부의 양끝에서 길이의 10%까지는 짧아져도 된다.

비 고 각진 홈의 깊이 최소값은 열간 가공 이음매 없는 강관, 전기 저항 용접 강관 및 단접 강관의 경우에는 0.3mm, 냉간 가공 이음매 없는 강관 및 용접 스테인리스강 강관의 경우에는 0.2mm로 한다.

7.7 인공 흠의 선택

원형 봉강 및 강관 대비 시험편의 인공 흠의 종류 및 치수의 선택은 원칙적으로 각개별 규격에 따른다.

[표 4] 강관 대비 시험편의 드릴 구멍 호칭 방법 및 치수

단위 : mm

드릴 구멍의 호칭 방법	드릴 구멍의 지름	드릴 구멍의 지름 허용차
D - 0.5 D - 0.8 D - 1.0 D - 1.2 D - 1.6	0.5 0.8 1.0 1.2 1.6	±0.05
D - 2.0 D - 2.5 D - 3.2	2.0 2.5 3.2	±0.10

8. 시험 방법

8.1 시험 시기

시험은 목적에 따라 제품의 가공 또는 처리 공정의 적절한 시기에 행한다.

8.2 시험체의 전처리

시험을 하기 전에 시험체에서 시험에 해로운 부스러기, 절단면의 거스러미 등을 제거한다.

8.3 시험 조건의 설정

8.3.1 시험 조건의 설정 시기

시험 조건의 설정은 시험 장치에 통전시켜 5분 이상 경과한 후 시험 개시직전에 한다.

8.3.2 대비 시험편의 선택

시험 조건의 설정에 사용하는 대비 시험편은 7.의 대비 시험편에서 선택한다.

8.3.3 시험 주파수의 선택

시험 주파수를 선택할 수 있는 탐상기일 경우, 대비 시험편의 인공 흠이 충분히 검출되도록 시험 주파수를 선택한다.

8.3.4 시험 코일의 선택 시험

코일은 8.3.2에서 선택한 대비 시험편의 인공 흠이 충분히 검출되는 형식, 방식 및 치수인 것을 선택한다.

8.3.5 자기 포화

자기 포화가 필요한 시험체는 그 재질, 치수에 따라 시험에 필요한 정도까지 자기 포화시킨다.

8.3.6 탐상기 위상의 조정

탐상기의 위상은 대비 시험편의 인공 흠이 충분히 검출되도록 조정한다.

8.3.7 표시 장치 등의 조정

표시 장치 등은 대비 시험편의 인공 흠의 지시가 정상적인 작동 범위에 들어오도록 조정한다.

8.4 이송 장치의 센터링 조정

이송 장치의 센터링은 대비 시험편의 흠이 1개일 경우, 대비 시험편을 90°마다 위치를 바꾸어 대비 시험편의 흠이 원둘레 방향으로 90°마다 4개 또는 120°마다 3개인 경우는 동위치에서 시험하는 속도로 시험 코일 안을 통과시켜 흠의 신호가 목표값의 ±15% 이내에서 검출되도록 조정한다.

8.5 시험 감도의 확인

시험 감도가 적정하게 유지되고 있는지를 시험 작업 종료시 및 연속적으로 시험하는 경우에 적어도 4시간마다 확인한다. 시험 중에 시험 장치의 일부라도 이상이 인정된 경우 또는 잘못하여 조정 손잡이 등에 닿는 경우는 재조정을 함과 동시에 이상 기간 중에 시험한 시험체는 모두 재시험한다.

8.6 흠의 확인

시험에서 얻어진 지시가 시험체의 흠에 의한 것인지, 흠이 아닌 의사 지시에 의한 것인지 의심스러운 경우는 재시험 또는 다른 방법으로 확인한다.

8.7 탈 자

탈자 할 필요가 있는 경우는 필요한 한도까지 탈자 한다.

9. 기 록

시험 결과의 기록은 원칙적으로 다음과 같다.

a) 시험 연월일

b) 시험자명

c) 시험체명

d) 시험체 치수

e) 시험 장치명

f) 대비 시험편의 종류 및 치수

g) 시험 코일의 표시

h) 시험 조건(시험 주파수, 위상각, 시험 감도, 필터, 시험 속도 등)

i) 시험 결과

한국산업규격 KS

강관의 와류 탐상 검사 방법 D 0251 : 2005

Eddy current examination of steel pipes and tubes

서 문 이 규격은 1989년에 제1판으로 발행된 ISO 9304 Seamless and welded (except submerged arc-welded) steel tubes for pressure purposes－Eddy current testing for the detection of imperfections의 대응 국제 규격을 번역하여 기술적 내용을 일치시키기 위한 개정을 하였다. 이 규격은 대응 국제 규격의 규정 내용을 일부 변경(비교 시험편, 탐상 방법 등) 및 추가(탐상 장치, 비교 시험편, 탐상 방법 등)하는 이외에는 기술적 내용을 변경하지 않고 작성한 한국산업규격이다.

또한 이 규격서에서 점선을 그은 곳은 대응 국제 규격에는 없는 사항이다.

1. 적용 범위

이 규격은 주로 바깥지름 4～180mm, 두께 0.7～20mm의 이음매 없는 강관, 용접 강관 및 단접 강관의 관통 코일을 사용하는 와류 탐상 검사 방법에 대하여 규정한다.

이 규격에 규정하는 이외의 일반 사항은 KS D 0232에 따른다.

비 고 이 규격의 대응 국제 규격은 다음과 같다.

ISO 9304 : 1989 Seamless and welded (except submerged arc-welded) steel tubes for pressure purposes－Eddy current testing for the detection of imperfections

2. 인용 규격

다음에 나타내는 규격은 이 규격에 인용됨으로써 이 규격의 규정 일부를 구성한다. 이러한 인용 규격은 그 최신판을 적용한다.

KS B 0550 비파괴 시험 용어

KS D 0232 강의 와류 탐상 시험 방법

3. 정 의

이 규격에서 사용하는 주된 용어의 정의는 KS B 0550에 따르거나 다음과 같이 한다.

a) 마킹 장치

신호의 높이가 판정 기준을 넘었을 때, 피검사재의 신호 발생 부분에 표시하는 장치

b) 자동 경보 장치

신호의 높이가 판정 기준을 넘었을 때, 빛 또는 소리로 경보를 내보내는 장치

c) 스트레이트너 마크

관의 내외면에 발생하는 나선형 모양

d) 오목부

관의 바깥면이 오목하여 가끔씩 내면으로 튀어나와 있는 상태

e) 긁힌 홈

관의 표면이 긁혀 생긴 홈

f) 스친 홈

관의 표면이 스쳐 생긴 홈

g) 주 름

관의 드로잉 공정에서 발생하는 것으로, 내외면 모두 원둘레 방향의 주름 모양, 요철 모양임.

h) 바이트 주름

전기 저항 용접관의 비드 절삭 공정에서 발생하는 것으로, 바이트의 절삭 자국이 작은 피치에서 물결 모양으로 연속하여 남은 것.

4. 검사 기술자

검사를 하는 자는 필요한 자격 또는 그것에 상당하는 지식, 기능을 가진 자로 한다.

5. 탐상 장치

5.1 구 성

탐상 장치는 탐상기, 탐상 코일, 관 이송 장치(탐상 코일심 내보내기 장치를 포함한다. 이하 같다.), 자기 포화 장치, 마킹 장치, 자동 경보 장치 또는 기록 장치로 구성한다. 다만 자기 포화 장치는 생략하여도 좋다.

5.2 탐상기

탐상기는 발진기, 전기적 신호를 처리하는 전기 장치, 홈에 의한 신호의 표시 장치 등으로 구성된다. 다음과 같이 한다.

a) 형식, 탐상 주파수, 신호의 표시 방식 등은 시험의 목적에 맞는 것으로 한다.

b) 0～40℃의 환경 온도 및 ±15%의 전원 전압의 변동에서 장시간 안정적으로 작동하며, 외부로부터의 전기 잡음에 대하여 보호되고 있을 것.

5.3 탐상 코일

탐상 코일은 주로 자기 비교 방식으로 한다. 탐상 코일의 형식, 방식 및 치수의 표시를 하는 경우는 KS D 0232에 따른다.

5.4 관 이송 장치, 자기 포화 장치, 마킹 장치, 자동 경보 장치 및 기록 장치

관 이송 장치, 자기 포화 장치, 마킹 장치, 자동 경보 장치 및 기록 장치는 탐상 작업상 또는 결과의 판정 작업상 충분한 기능을 가진 것으로 한다.

6. 비교 시험편

6.1 사용 목적

비교 시험편은 탐상 조건의 설정과 탐상 중의 감도의 확인, 판정 기준의 설정 및 종합 성능의 확인에 사용한다.

6.2 재 료

비교 시험편에 사용하는 재료는 검사하는 관과 동등한 재료, 공칭 치수, 표면 상태 및 열처리상태의 것으로 한다.

6.3 비 교

시험편에 사용하는 인공홈

6.3.1 인공홈의 종류 및 단면 모양

비교 시험편에 사용하는 인공홈의 종류는 네모홈, 줄홈 또는 드릴 구멍으로 하고, 그 모양은 그림 1에 따른다.

그리고 인공홈의 종류의 기호는 네모홈은 N, 줄홈은 F, 드릴 구멍은 D로 한다.

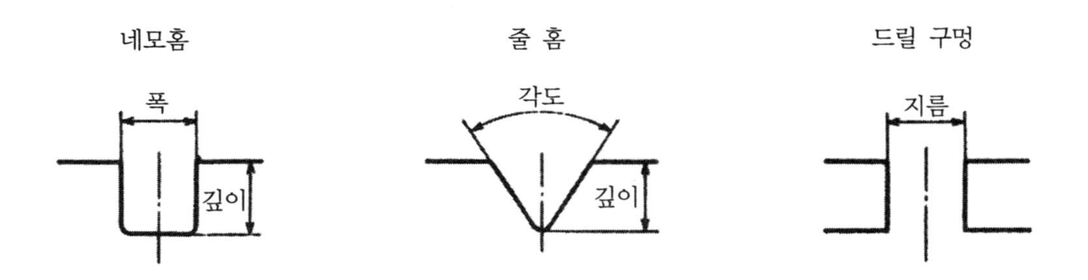

[그림 1] 인공홈의 종류 및 단면 모양

6.3.2 인공홈의 치수 및 치수 허용차

비교 시험편에 사용하는 인공홈의 치수 및 치수 허용차는 표 1~3에 따른다.

[표 1] 네모홈의 치수 및 치수 허용차

호 칭	깊 이	깊이 허용차	나 비	길 이
N-15	호칭 두께의 15 %	±15% (최소값 ±0.05 mm)	1.5mm 이하 또는 홈 깊이의 3배 가운데 작은 쪽의 값	25mm 이하
N-20	호칭 두께의 20 %			
N-25	호칭 두께의 25 %			
N-30	호칭 두께의 30 %			
N-40	호칭 두께의 40 %			
N-50	호칭 두께의 50 %			

[표 2] 줄홈의 치수 및 치수 허용차

호 칭	깊 이	깊이 허용차	각 도	길 이
F-10	호칭 두께의 10 %	±10% (최소값 ±0.05 mm)	60°	20mm 이하
F-12	호칭 두께의 12 %			
F-15	호칭 두께의 15 %			
F-20	호칭 두께의 20 %			
F-25	호칭 두께의 25 %			
F-30	호칭 두께의 30 %			

[표 3] 드릴 구멍의 치수 및 치수 허용차

단위 : mm

호 칭	구멍의 지름	지름의 허용차
D-1.0	1.0	±0.1 이하
D-1.2	1.2	±0.2 이하
D-1.6	1.6	
D-2.0	2.0	
D-2.5	2.5	
D-3.2	3.2	

6.4 인공홈의 가공

네모홈은 기계 가공 또는 방전 가공에 의해 관의 바깥면에 관축 방향으로 가공한다. 네모홈의 경우 모양이 U자형이 되는 수가 있지만, 이것은 네모홈과 동등하다고 간주한다.

줄홈은 삼각형 줄에 의해 관의 바깥면에 관둘레 방향으로 가공한다. 드릴 구멍은 관 표면에 대하여 수직으로 관통하여 가공한다.

7. 탐상 방법

7.1 탐상 주파수

탐상 주파수는 0.5~512kHz의 범위 내에서 선택하도록 하고, 비교 시험편의 인공홈을 충분히 검출할 수 있는 주파수를 사용한다.

7.2 탐상 코일

탐상 코일은 감도 설정에 사용하는 비교 시험편의 인공홈을 충분히 검출할 수 있는 것을 사용한다.

7.3 탐상 조건의 설정

7.3.1 탐상 감도

설정용 인공홈 탐상 감도 설정용 인공홈은 원칙적으로 강관의 용도 및 제조 방법에 따르고, 바깥지름 50.8mm 이하의 관은 표 4에, 바깥지름 50.8mm를 넘는 관은 표 5에 나타내는 구분을 적용한다.

적용하는 인공홈의 종류는 네모홈, 줄홈, 드릴 구멍 가운데 어느 하나를 선택한다.

[표 4] 탐상 감도 설정용 인공홈(바깥지름 50.8mm 이하)

구분	사용하는 인공홈의 종류			적용보기	
	네모홈	줄홈	드릴구멍		
EV	N-15 또는 N-20	F-10 또는 F-12	D-1.0 또는 D-1.2	압력 배관용 탄소강 강관(STPG) 이외의 냉간 가공 이음매 없는 강관 및 보일러 · 열교환기용 스테인리스강 냉간 가공 아크 용접 강관으로, 주문자가 특히 지정한 경우	STB, STBA, SUSTB, STBL, STS, STPT, STPA, SUSTP 및 STPL의S-C 및 SUSTB의 A-C
	N-20	F-12	D-1.2	두께 3 mm 미만의 용접 스테인리스 강관으로, 주문자가 특히 지정한 경우(보일러 · 열교환기용 스테인리스강 냉간 가공 아크 용접 강관은 제외한다.)	두께 3mm 미만의 SUSTB의 A, E-G, E-C 및 SUSTP의 A, A-C, E-G, E-C
EX	N-25	F-15	D-1.6	두께 3 mm 이상의 용접 스테인리스 강관으로, 주문자가 특히 지정한 경우(보일러 · 열교환기용 스테인리스강 냉간 가공 아크 용접 강관은 제외한다.)	두께 3mm 이상의 SUSTB의 A, E-G, E-C 및 SUSTP의 A, A-C, E-G, E-C
				배관용 탄소강 강관(SGP) 이외의 전기 저항 용접 강관으로 주문자가 특히 지정한 경우	STPG, STBA, STBL, STPT 및 STPL의 E-G, E-H, E-C
EY	N-30	F-20	D-2.0	압력 배관용 탄소강 강관(STPG) 이외의 열간 가공 이음매 없는 강관으로, 주문자가 특히 지정한 경우	STB, STBA, SUSTB, STBL, STS, STPT, STPA, SUSTP 및 STPL의 S-H
EY	N-40	F-25	D-2.5	배관용 탄소강 강관(SGP) 이외의 배관용 강관 및 보일러 · 열교환기용 강관의 비파괴시험 특성	구분 EV, EW 및 EX에 드는 것 및 STPG의 E-H, S-C
EZ	N-50	F-30	D-3.2	배관용 탄소강 강관(SGP)의 비파괴 시험 특성	SGP

비 고 네모홈 및 줄홈 깊이의 최소값은 열간 가공 이음매 없는 강관, 전기 저항 용접 강관 및 단접 강관의 경우에는 0.3mm, 냉간 가공 이음매 없는 강관 및 용접 스테인리스 강관의 경우에는 0.2mm로 한다.

7.3.2 탐상기의 조정

a) 탐상기의 조정은 표 4 및 표 5에서 선택한 구분의 비교 시험편에 의해 실시한다.

b) 탐상기의 감도는 비교 시험편의 인공홈에서의 선호가 판정을 위하여 필요한 크기가

되도록 조정한다.

7.3.3 마킹 장치, 자동 경보 장치 또는 기록 장치의 조정

마킹 장치, 자동 경보 장치 또는 기록 장치는 비교 시험편의 주행 상태에서 인공홈에 의해 지시가 정상적인 작동 범위에 들어가도록 조정한다.

7.3.4 탐상 코일의 심 내보내기 장치의 조정

탐상 코일의 심 내보내기 장치의 조정은 비교 시험편의 인공홈의 수가 1개인 경우는 인공홈을 0°, 90°, 180° 및 270°로 위치를 바꾸고, 또한 비교 시험편의 인공홈이 관둘레 방향으로 120°마다 3개 또는 관둘레 방향으로 90°마다 4개인 경우는 인공홈을 그 위치에서 관을 검사하는 속도로 탐상 코일을 통과시켰을 때 인공홈의 신호의 불균일이 ±15%의 범위에서 검출되도록 실시한다.

7.4 판정 기준의 설정

판정 기준의 설정은 탐상 감도 설정용 인공홈이 있는 비교 시험편을 7.3.4에 따라 탐상 코일을 통과시켰을 때 인공홈으로부터의 신호의 최소 신호를 사용한다.

[표 5] 탐상 감도 설정용 인공홈(바깥지름 50.8mm 초과)

구분	사용하는 인공홈의 종류			적용보기	
	네모홈	줄홈	드릴구멍		
EV	N-20	F-12	D-1.2	압력 배관용 탄소강 강관(STPG) 이외의 냉간 가공 이음매 없는 강관 및 보일러 · 열교환기용 스테인리스강 냉간 가공 아크 용접 강관으로, 주문자가 특히 지정한 경우	STB, STBA, SUSTB, STBL, STS, STPT, STPA, SUSTP 및 STPL의 S-C 및 SUSTB의 A-C
	N-25	F-15	D-1.6	두께 3mm 미만의 용접 스테인리스 강관으로, 주문자가 특히 지정한 경우(보일러 · 열교환기용 스테인리스강 냉간 가공 아크 용접 강관은 제외한다.)	두께 3mm 미만의 SUSTB의 A, E-G, E-C 및 SUSTP의 A, A-C, E-G, E-C
EW	N-30	F-20	D-2.0	두께 3mm 이상의 용접 스테인리스 강관으로, 주문자가 특히 지정한 경우(보일러 · 열교환기용 스테인리스강 냉간 가공 아크 용접 강관은 제외한다.)	두께 3mm 이상의 SUSTB의 A, E-G, E-C 및 SUSTP의 A, A-C, E-G, E-C
				배관용 탄소강 강관(SGP) 이외의 전기 저항 용접 강관으로 주문자가 특히 지정한 경우	STPG, STBA, STBL, STPT 및 STPL의 E-G, E-H, E-C
EX	N-40	F-25	D-2.5	압력 배관용 탄소강 강관(STPG) 이외의 열간 가공 이음매 없는 강관으로, 주문자가 특히 지정한 경우	STB, STBA, SUSTB, STBL, STS, STPT, STPA, SUSTP 및 STPL의 S-H
EY	N-50	F-30	D-3.2	배관용 탄소강 강관(SGP) 이외의 배관용 강관 및 보일러 · 열교환기용 강관의 비파괴시험 특성	구분 EV, EW 및 EX에 드는 것 및 STPG의 E-H, S-C
EZ	N-50	F-30	D-3.2	배관용 탄소강 강관(SGP)의 비파괴 시험 특성	SGP

비 고 네모홈 및 줄홈의 깊이 최소값은 열간 가공 이음매 없는 강관, 전기 저항 용접 강관 및 단접 강관의 경우에는 0.3mm, 냉간 가공 이음매 없는 강관 및 용접 스테인리스 강관의

경우에는 0.2mm로 한다.

7.5 감도의 확인

감도의 확인은 검사 작업 종료 시 및 연속적으로 검사를 하는 경우는 적어도 8시간마다, 검사 작업이 연속적이 아닌 경우는 보통 4시간마다 실시한다.

이 경우, 감도가 기준 감도에서 적어도 －3dB 이내에서 유지되고 있을 것. 감도 확인에서 －3dB를 넘어서 내려간 것이 확인된 경우 및 기타의 이상이 있는 경우에는 재조정을 함과 동시에 그 기간 중에 검사한 관은 모두 재검사를 한다. 다만 감도가 －3dB를 넘어서 내려진 경우라도 개개의 관의 기록을 식별할 수 있어서 합격, 불합격 구분을 정확하게 할 수 있는 경우에는 재검사를 할 필요는 없다.

8. 결과의 판정

비교 시험편의 인공홈으로부터의 신호와 동등 이상의 신호가 검출되지 않는 관은 합격으로 한다. 비교 시험편의 인공홈에서의 신호와 동등 이상의 신호가 있는 관은 다음 가운데 어느 하나의 처치를 하여야 한다.

a) 의사 신호라고 생각되는 관 및 교정 또는 손질한 후의 관은 전에 설정한 조건에서 재탐상하였을 때 인공홈에서의 신호와 동등 이상의 신호가 검출되지 않는 관은 합격으로 한다.
또한 다른 비파괴 검사나 시험 방법에 따라 재검사하여도 좋다.

b) 다음에 드는 홈에 의한 신호에서 실용적으로 유해하지 않는 것은 합격으로 하면 된다.
   1) 스트레이트너 마크
   2) 긁힌 홈 및 스친 홈
   3) 오 목 부
   4) 주 름
   5) 바이A트 주름
   6) 기타 유사 홈

c) 인공홈에서의 신호와 동등 이상의 신호가 검출된 부분을 잘라 버린다.

d) 불합격으로 한다.

9. 기 록

검사 결과의 기록에는 다음 사항을 기재한다.

a) 검사 연월일
b) 검사 기술자
c) 관의 종류 기호

d) 관의 치수
e) 탐상 장치
f) 탐상 감도 구분 및 사용 비교 시험편
g) 탐상 코일
h) 탐상 주파수
i) 탐상 방법, 탐상 조건(탐상 속도, 탐상 감도, 위상 등)
j) 검사 결과

부 록
(Ⅱ)

◈ ASME Code 관련규격 ◈

- **ASME SEC. V**

  Article 8. Eddy Current Exam. of Tubular Products.

  Article 8. (Appendix)

  ECT Method for Installed Nonferromagnetic S / G Heat Exchanger Tubing

ARTICLE 8
EDDY CURRENT EXAMINATION OF TUBULAR PRODUCTS

T-810 SCOPE

(a) This Article describes the method to be used when performing eddy current examination of seamless copper, copper alloy, and other nonferromagnetic tubular products. The method conforms substantially with the following Standard listed in Article 26 and reproduced in Subsection B:

SE-243 Electromagnetic (Eddy Current) Testing of Seamless Copper and Copper-Alloy Heat Exchanger and Condenser Tubes.

(b) The requirements of Article 1, General Requirements, also apply when eddy current examination, in accordance with Article 8, is required by a referencing Code Section.

(c) Definitions of terms for eddy current examination appear in Article 1, Appendix I, Subsection B, Article 30 and Mandatory Appendix IV of this Article.

T-820 GENERAL

T-821 Performance

Tubes may be examined at the finish size, after the final anneal or heat treatment, or at the finish size, prior to the final anneal or heat treatment, unless otherwise agreed upon between the supplier and the purchaser. The procedure shall be qualified by demonstrating detection of discontinuities of a size equal to or smaller than those in the reference specimen described in T-833. Indications equal to or greater than those considered reportable by the procedure shall be processed in accordance with T-880.

T-822 Personnel Requirements

The user of this Article shall be responsible for assigning qualified personnel to perform eddy current examinations to the requirements of this Article. Personnel performing examinations shall be qualified as required by the referencing Code Section.

TABLE T-823
REQUIREMENTS OF AN EDDY CURRENT EXAMINATION PROCEDURE

Requirement (As Applicable)	Essential Variable	Non-Essential Variable
Frequency(s)	X	
Mode (Differential/Absolute)	X	
Minimum Fill Factor	X	
Probe Type	X	
Maximum Scanning Speed	X	
Scanning Technique (Automatic/Manual)		X
Material being examined	X	
Material Size/Dimensions	X	
Reference Standard	X	
Equipment Manufacturer/Model	X	
Scanning Equipment/Fixtures		X
Data Recording Equipment	X	
Cabling (Type and Length)	X	
Acquisition Software	X	
Analysis Software	X	

T-823 Procedure

T-823.1 Requirments. Eddy current or other electomagnetic examinations shall be performed in accordance with a written procedure, which shall, as a minimum contain the requirements listed in Table T-823. The written procedure shall establish a single value, or range of values, for each requirement.

T-823.2 Procedure Qualification. When procedure qualification is specified, a change of a requirement in Table T-823 identified as an essential variable from the specified value, or range of values, shall require requalification of the written procedure. Where a range is specified for an essential variable, the bounding values of the range shall be qualified by demonstration. A change of a requirement identified as a nonessential variable from the specified value, or range of values, does not require requalification of the written procedure. All changes of essential or nonessential variables from the value, or range of values, specified by the written procedure shall require revision of, or an addendum to, the written procedure.

T-830 EQUIPMENT

Equipment shall consist of electronic apparatus capable of energizing the test coil or probes with alternating currents of suitable frequencies and shall be capable of sensing the changes in the electromagnetic properties of the material. Output produced by this equipment may be processed so as to actuate signaling devices and/or to record examination data.

T-831 Test Coils and Probes

Test coils or probes shall be capable of inducing alternating currents into the material and sensing changes in the electromagnetic characteristics of the material. Test coils should be selected to provide the highest practical fill factor.

T-832 Scanners

Equipment used should be designed to maintain the material concentric within the coil, or to keep the probe centered within the tube and to minimize vibration during scanning. Maximum scanning speeds shall be based on the equipment's data acquisition frequency response or digitizing rate, as applicable.

T-833 Reference Specimen

The reference specimen material shall be processed in the same manner as the product being examined. It shall be the same nominal size and material type (chemical composition and product form) as the tube being examined. Ideally, the specimen should be a part of the material being examined. Unless specified in the referencing Code Section, the reference discontinuities shall be transverse notches or drilled holes as described in Standard Practice SE-243, Section 7, Calibration Standards.

T-840 REQUIREMENTS

T-841 Procedure Requirements

A written procedure, when required according to T-150, shall include at least the following:

(a) frequency
(b) type of coil or probe (e.g., differential coil)
(c) type of material and sizes to which applicable
(d) reference specimen notch or hole size
(e) additional information as necessary to permit retesting

T-850 TECHNIQUE

Specific techniques may include special probe or coil designs, electronics, calibration standards, analytical algorithims and/or display software. Techniques, such as channel mixes, may be used as necessary to suppress signals produced at the ends of tubes. Such techniques shall be in accordance with requirements of the referencing Code Section.

T-860 CALIBRATION

T-861 Performance Verification

Performance of the examination equipment shall be verified by the use of the reference specimen as follows:

(a) As specified in the written procedure:
 (1) at the beginning of each production run of a given diameter and thickness of a given material;
 (2) at the end of the production run;
 (3) at any time that malfunctioning is suspected.

(b) If, during calibration or verification, it is determined that the examination equipment is not functioning properly, all of the product tested since the last calibration or verification shall be re-examined.

(c) When requalification of the written procedure as required in T-823.2.

T-862 Calibration of Equipment

(a) Frequency of Calibration. Eddy current instrumentation shall be calibrated at least once a year, or whenever the equipment has been subjected to a major electronic repair, periodic overhaul, or damage. If equipment has not been in use for a year or more, calibration shall be done prior to use.

(b) Documentation. A tag or other form of documentation shall be attached to the eddy current equipment with dates of the calibration and calibration due date.

T-870 EXAMINATION

Tubes are examined by passing through an encircling coil, or past a probe coil with the apparatus set up in accordance with the written procedure. Signals produced by the examination are processed and evaluated. Data may be recorded for post-examination analysis or stored for archival purposes in accordance with the procedure. Outputs resulting from the evaluation may be used to mark and/or separate tubes.

T-880 EVALUATION

Evaluation of examination results for acceptance shall be as specified in the written procedure and in accordance with the referencing Code Section.

T-890 DOCUMENTATION

T-891 Examination Reports

A report of the examination shall contain the following information:

(a) tube material specification, diameter, and wall thickness condition

(b) coil or probe manufacturer, size and type

(c) mode of operation (absolute, differential, etc.)

(d) examination frequency or frequencies

(e) manufacturer, model, and serial number of eddy current equipment

(f) scanning speed

(g) examination procedure number and revision

(h) calibration standard and serial number

(i) identity of examination personnel, and, when required by the referencing Code Section, qualification level

(j) date of inspection

(k) list of acceptable material

(l) date and time of qualification

(m) results of requalification (as applicable)

T-892 Documentation of Performance Demonstration

When required by the referencing Code Section, performance demonstrations shall be documented.

ARTICLE 8
MANDATORY APPENDICES

APPENDIX I — EDDY CURRENT EXAMINATION METHOD FOR INSTALLED NONFERROMAGNETIC HEAT EXCHANGER TUBING

I-800 INTRODUCTION

I-810 SCOPE

This Appendix defines the eddy current (ET) examination method and equipment requirements applicable to installed nonferromagnetic heat exchanger tubing. When specified by the referencing Code Section, the eddy current techniques described in this Appendix shall be used. The methods and techniques described in this Appendix are intended to detect and quantify degradation in the tubing.

I-820 GENERAL REQUIREMENTS

(a) The basis frequency ET examination is required and shall be done in accordance with I-862.

(b) The requirements for test equipment and examination procedures shall be in accordance with I-830.

(c) Calibrations shall be done in accordance with I-860.

(d) Examination shall be done in accordance with I-870.

I-830 EQUIPMENT

Eddy current nondestructive testing equipment capable of operation in the differential mode or the absolute mode, or both, shall be used for this examination. A device for recording data, real time, in a format suitable for evaluation and for archival storage, shall be provided when required by the referencing Code Section.

I-831 Frequency of Calibration

Electronic instrumentation of the eddy current system shall be calibrated at least once a year or whenever the equipment has been overhauled or repaired as a result of malfunction or damage.

I-850 TECHNIQUE

Single frequency or multiple frequency techniques are permitted for this examination. Upon selection of the test frequency(s) and after completion of calibration, the probe shall be inserted into the tube where it is extended or positioned to the region of interest. Resulting eddy current signals at each of the individual frequencies shall be recorded for review, analysis, and final disposition.

I-860 CALIBRATION

I-861 Calibration Tube Standards

The calibration tube standard shall be manufactured from a length of tubing of the same nominal size and material type (chemical composition and product form) as that to be examined in the vessel. The intent of this reference standard is to establish and verify system response. The standard shall contain calibration discontinuities as follows.

(a) A single hole drilled 100% through the wall 0.052 in. (1.3 mm) diameter for $^3/_4$ in. (19 mm) O.D. tubing and smaller and 0.067 in. (1.7 mm) diameter for larger tubing.

(b) Four flat bottom holes, $^3/_{16}$ in. (5 mm) diameter, spaced 90 deg. apart in a single plane around the tube circumference, 20% through the tube wall from the O.D.

(c) A $^1/_{16}$ in. (1.5 mm) wide, 360 deg circumferential groove, 10% through from the inner tube surface (optional).

(d) All calibration discontinuities shall be spaced so that they can be identified from each other and from the end of the tube.

(e) Each standard shall be identified by a serial number.

(f) The depth of the calibration discontinuities, at their center, shall be accurate to within ±20% of the specified depth or ±0.003 in. (±0.08 mm), whichever is smaller. All other dimensions shall be accurate to 0.010 in. (0.25 mm).

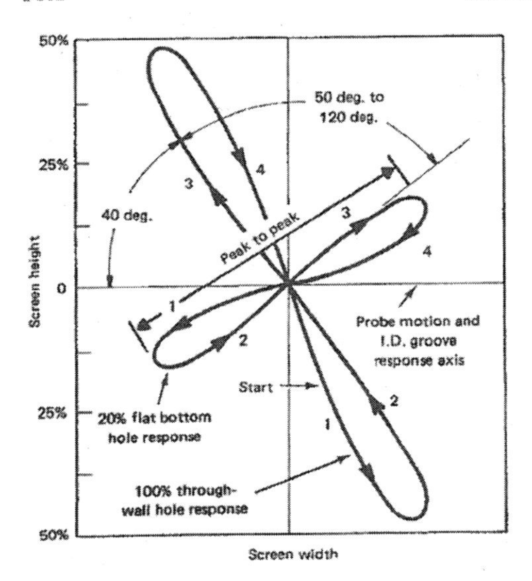

FIG. I-862-1 TYPICAL SIGNAL RESPONSE FROM A PROPERLY CALIBRATED DIFFERENTIAL BOBBIN COIL PROBE SYSTEM

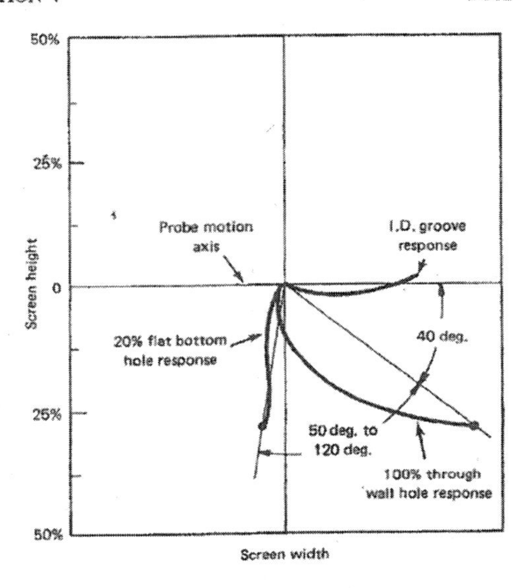

FIG. I-862-2 TYPICAL SIGNAL RESPONSE FROM A PROPERLY CALIBRATED ABSOLUTE BOBBIN COIL PROBE SYSTEM

(g) The dimensions of the calibration discontinuities and the applicable ET system response shall become part of the permanent record of the standard.

I-862 Basis Frequency[1] Calibration Procedure

The examination system shall be calibrated utilizing the standard described in I-861.

(a) Basis Frequency Calibration Using Differential Bobbin Coil Technique

(1) Adjust the ET instrument for a basis frequency chosen so that the phase angle of a signal from the four 20% flat bottom holes is between 50 deg. and 120 deg. rotated clockwise from the signal of the through-the-wall hole (Fig. I-862-1).

(2) The trace display for the four 20% flat bottom holes shall be generated, when pulling the probe, in the directions illustrated in Fig. I-862-1: down and to the left first, followed by an upward motion to the right, followed by a downward motion returning to the point of origin.

(3) The sensitivity shall be adjusted to produce a minimum peak-to-peak signal from the four 20% flat bottom holes of 30% of the full scale horizontal presentation with the oscilloscope sensitivity set at 1 V per division.

(4) Adjust the phase or rotation control so that the signal response due to probe motion, or the 10% deep circumferential inside diameter groove, or both, is positioned along the horizontal axis of the display ±5 deg. The responses from the calibration holes shall be maintained as described in (a)(1), (2), and (3) above.

(b) Basis Frequency Calibration Using Absolute Bobbin Coil Technique

(1) Adjust the ET instrument for a basis frequency so that the phase angle between a line drawn from the origin to the tip of the response from the through-the-wall hole and the horizontal axis is approximately 40 deg. The phase angle formed by a line drawn from the origin to the tip of the response of the four 20% flat bottom holes and the through-the-wall response line is between 50 deg. and 120 deg. (see Fig. I-862-2).

(2) The sensitivity shall be adjusted to produce a minimum origin-to-peak signal from the four 20% flat bottom holes of 30% of the full scale horizontal presentation with the oscilloscope sensitivity set at 1 V per division.

[1] The basis frequency is that test frequency selected for the examination which provides responses from the 20% flat bottom holes and the 100% through-the-wall hole references in the calibration tube standard that have a phase angle difference between 50 deg and 120 deg.

(3) Adjust the phase or rotation control so that the signal response due to probe rotation, or the 10% deep circumferential inside diameter groove, or both, is positioned along the horizontal axis of the display ±5 deg. The response of the calibration reference shall be maintained as described in (b)(1) and (2) above.

(4) The response may be rotated to the upper quadrants of the display at the option and convenience of the operator.

(5) Repeat withdrawing the probe through the calibration tube standard at the probe speed selected for the examination. Record the responses of the applicable calibration discontinuities. Ascertain that they are clearly indicated by the instrument and are distinguishable from each other as well as from probe motion signals.

I-863 Auxiliary Frequency(s) Calibration Procedure

(a) Auxiliary frequency(s) may be used to examine the tube wall. Reference standards other than that specified in I-861 may be used to establish examination specific sensitivity settings and an impedance plane phase reference.

(b) Auxiliary frequency(s) may be combined (mixed) with the basis frequency or with each other for extraneous variable suppression. When auxiliary frequency(s) are combined with the basis frequency for extraneous variable suppression, the basis frequency shall meet the requirements of I-862.

(c) Reference standards simulating the extraneous variables shall be used to establish mixing parameters. Auxiliary frequency response to the extraneous variable reference standard, or basis frequency response to the extraneous variable reference standard, or both, shall be a part of the calibration record.

(d) Repeat withdrawing the probe through the calibration standard at the probe speed selected for examination. Record the auxiliary frequency response of the applicable reference discontinuities.

(e) The basis frequency and auxiliary frequencies shall be recorded.

I-864 Calibration Confirmation

(a) Calibration shall include the complete ET examination system. Any change of probe, extension cables, ET instrument, recording instruments, or any other parts of the ET examination system hardware shall require recalibration.

(b) The system calibration hardware shall be confirmed as required by the referencing Code Section.

(c) Should the system be found to be out of calibration (as defined in I-862) the equipment shall be recalibrated. The recalibration shall be noted on the recording. The data analyst shall determine which tubes, if any, shall be re-examined.

I-865 Correlation of Signals to Estimate Depth of Discontinuities

The depth of discontinuities is primarily shown by the phase angle of the ET signal they produce. A relationship of reference comparator depths versus signal phase angle shall be developed for the examination being performed (see Fig. I-865-1). The following reference comparators may be used.

(a) The reference comparators shall be manufactured from a length of tubing of the same nominal size (diameter and wall thickness) and material (chemical composition and product form) as the tubes being examined.

(b) The reference comparators may be flat bottom holes drilled to varying depths.

(c) The drilled holes in the calibration standard (see I-861) may be used to establish this relationship where additional depths are required.

(d) The tolerance for the dimensions of the flat bottom holes shall be the same as those specified for the calibration tube standards [see I-861(g)].

(e) Except for the holes specified in (f)(1) below, all references shall be far enough apart to avoid interference between signals.

(f) When drilled holes are used, the dimensions shall be as follows:

(1) four flat bottom drill holes, $^{3}/_{16}$ in. (5 mm) diameter, 20% through the wall [same as the calibration tube standard (b) in I-861(b)];

(2) one flat bottom drill hole, $^{3}/_{16}$ in. (5 mm) in diameter × 40% through the wall from the outside surface;

(3) one flat bottom drill hole, $^{7}/_{64}$ in. (2.8 mm) in diameter × 60% through the wall from the outside surface;

(4) one flat bottom drill hole, $^{5}/_{64}$ in. (2.0 mm) in diameter × 80% through the wall from the outside surface;

(5) one through-the-wall drill hole [same as the calibration tube standard in I-861(a)].

(g) Other reference comparators may be used, provided that they can be demonstrated to be comparable to the intended discontinuity to be evaluated.

(h) Signal amplitude may be used to estimate depth for defects, which exhibit a known regularity in their growth history. Standards representative of the defect

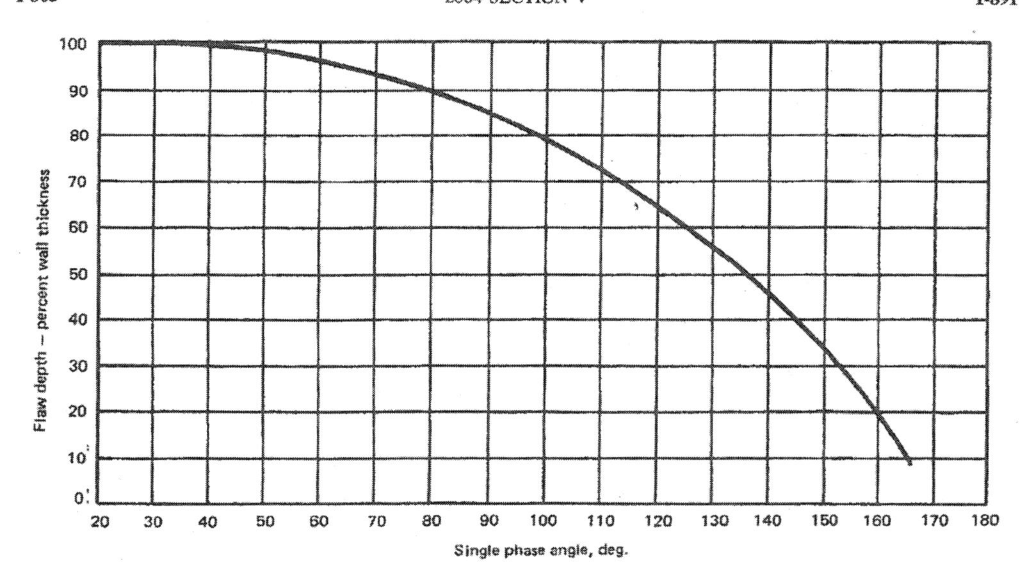

FIG. I-865-1 PHASE ANGLE vs FLAW DEPTH INCONEL TUBE, 400 kHz (TYPICAL 0.050 in. WALL TUBE)

shall be used to generate an amplitude versus depth calibration curve.

I-870 EXAMINATION

I-871 General

Data shall be recorded as the probe traverses the tube.

I-872 Probe Speed

The nominal probe speed during examination shall not exceed 14 in./s (350 mm/s). Higher probe speeds may be used if system frequency response and sensitivity to the applicable calibration standards described in I-861 can be demonstrated.

I-880 EVALUATION

I-881 General

The evaluation of examination data shall be made in accordance with the referencing Code Section.

I-890 DOCUMENTATION

I-891 Procedure Requirements

When required by the referencing Code Section, Eddy Current (ET) examinations shall be performed in accordance with a written procedure. Each procedure shall include at least the following information:

(a) tube material, diameter, and wall thickness;

(b) size and type of probes;

(c) mode of operation (differential or absolute or both);

(d) examination frequency or frequencies;

(e) manufacturer and model of ET equipment;

(f) scanning speed during examination;

(g) examination technique, i.e., hand probe, mechanized probe drive, remote control fixture, etc.;

(h) calibration procedure and calibration tube standards;

(i) data recording equipment and procedures;

(j) procedure for interpretation of results;

(k) additional information as necessary to describe the examination.

ARTICLE 8
MANDATORY APPENDICES

APPENDIX II — EDDY CURRENT EXAMINATION OF NONFERROMAGNETIC HEAT EXCHANGER TUBING

II-810 SCOPE

This Appendix provides the requirements for bobbin coil, multifrequency, multiparameter, Eddy Current examination for nonferromagnetic heat exchanger tubing.

II-820 GENERAL

This Appendix also provides the methodology for examining nonferromagnetic, heat exchanger tubing using the eddy current method and bobbin coil technique. By scanning the tubing from the boreside, information will be obtained from which the condition of the tubing will be determined. Scanning is generally performed with a bobbin coil attached to a flexible shaft driven by a motorized device. Results are obtained by evaluating data recorded during scanning.

II-820.1 General Requirements

II-820.1.1 Procedure Requirements. Examinations shall be conducted in accordance with a written procedure. Each procedure shall include the following information:

(a) tube material, diameter and wall thickness;

(b) size and type of probes, including manufacturer's name, description or part number, and length of probe and probe extension cables;

(c) examination frequencies;

(d) manufacturer and model of eddy current equipment;

(e) scanning direction and speed during examination (insertion, retraction, or both — from inlet or outlet end);

(f) inspection technique, e.g., hand probe, mechanized probe driven, remote control fixture;

(g) description of calibration procedure and calibration standards;

(h) description of data recording equipment and procedures;

(i) procedure for analysis of examination results and applicable criteria for reportable indications;

(j) procedure for reporting examination results, e.g., 3 digit codes or reference points;

(k) personnel requirements;

(l) fixture location verification.

II-820.1.2 Personnel Requirements. Nondestructive examination personnel shall be qualified in accordance with the requirements of the referencing Code Section.

II-830 EQUIPMENT

II-830.1 Data Acquisition System

II-830.1.1 General System Requirements

(a) The eddy current instrument shall have the capability of generating multiple frequencies simultaneously or multiplexed and be capable of multiparameter signal combination. In the selection of frequencies, consideration shall be given to optimizing flaw detection and characterization.

(b) The outputs from the eddy current instrument shall provide phase and amplitude information.

(c) The eddy current equipment shall be capable of detecting and recording dimensional changes, metallurgical changes and foreign material deposits, and responses from flaws originating on either tube wall surface.

II-830.2 Analog Data Acquisition System

II-830.2.1 Eddy Current Instrument

(a) The frequency response of the outputs from the eddy current instrument shall be constant within ±2% of full scale from dc to F_{max}, where F_{max} (Hz) is equal to 10 (Hz-in./s) [0.4 (Hz-mm/s)] times maximum probe travel speed (in./sec) (mm/s).

(b) Eddy current signals shall be displayed as two-dimensional patterns by use of an X-Y storage oscilloscope or equivalent.

(c) The frequency response of the instrument output shall be constant within ±2% of the input value from dc to F_{max}, where F_{max} (Hz) is equal to 10 (Hz-in./s) [0.4 (Hz-mm/s)] times maximum probe travel speed.

II-830.2.2 Magnetic Tape Recorder

(a) The magnetic tape recorder shall be capable of recording and playing back eddy current signal data from all test frequencies and shall have voice logging capability.

(b) The frequency response of the magnetic tape recorder outputs shall be constant within ±10% of the input value from dc to F_{max}, where F_{max} (Hz) is equal to 10 (Hz-in./s) [0.4 (Hz-mm/s)] times maximum probe travel speed.

(c) Signal reproducibility from input to output shall be within ±5%.

II-830.2.3 Strip Chart Recorder

(a) Strip chart recorders used during the examination shall have at least 2 channels.

(b) The frequency response of the strip chart recorder shall be constant within ±20% of full scale from dc to F_{max}, where F_{max} (Hz) is equal to 10 (Hz-s/in.) [0.4 (Hz-s/mm)] times maximum probe travel speed.

II-830.3 Digital Data Acquisition System

II-830.3.1 Eddy Current Instrument

(a) At the scanning speed to be used, the sampling rate of the instrument shall result in a minimum digitizing rate of 30 samples per in. (25 mm) of examined tubing, using dr = sr/ss, where dr is the digitizing rate in samples per in., sr is the sampling rate in samples per sec or Hz, and ss is the scanning speed in in. per sec.

(b) The digital eddy current instrument shall have a minimum resolution of 12 bits per data point.

(c) The frequency response of the outputs of analog portions of the eddy current instrument shall be constant within ±2% of the input value from dc to F_{max}, where F_{max} (Hz) is equal to 10 (Hz-in./s) [0.4 (Hz-mm/s)] times maximum probe travel speed.

(d) The display shall be selectable so that the examination frequency or mixed frequencies can be presented as a Lissajous pattern.

(e) The Lissajous display shall have a minimum resolution of 7 bits full scale.

(f) The strip chart display shall be capable of displaying at least 2 traces.

(g) The strip chart display shall be selectable so either the X or Y component can be displayed.

(h) The strip chart display shall have a minimum resolution of 6 bits full scale.

II-830.3.2 Recording System

(a) The recording system shall be capable of recording and playing back all acquired eddy current signal data from all test frequencies.

(b) The recording system shall be capable of recording and playing back text information.

(c) The recording system shall have a minimum resolution of 12 bits per data point.

II-830.4 Bobbin Coils

II-830.4.1 General Requirements

(a) Bobbin coils shall be able to detect calibration standard discontinuities.

(b) Bobbin coils shall have sufficient bandwidth for operating frequencies selected for flaw detection and sizing.

II-830.5 Data Analysis System

II-830.5.1 General System Requirements

(a) The data analysis system shall be capable of displaying eddy current signal data from all test frequencies.

(b) The system shall have multiparameter mixing capability.

(c) The system shall be capable of maintaining the identification of each tube recorded.

(d) The system shall be capable of measuring phase angles in increments of one degree or less.

(e) The system shall be capable of measuring amplitudes to the nearest 0.1 volt.

II-830.6 Analog Data Analysis System

II-830.6.1 Display. Eddy current signals shall be displayed as Lissajous patterns by use of an X-Y storage display oscilloscope or equivalent. The frequency response of the display device shall be constant within ±2% of the input value from dc to F_{max}, where F_{max} (Hz) is equal to 10 (Hz-in./s) [0.4 (Hz-mm/s)] times maximum probe travel speed.

II-830.6.2 Recording System

(a) The magnetic tape recorder shall be capable of playing back the recorded data.

(b) The frequency response of the magnetic tape recorder outputs shall be constant within ±10% of the input value from dc to F_{max}, where F_{max} (Hz) is equal to 10 (Hz-in./s) [0.4 (Hz-mm/s)] times maximum probe travel speed (in./s) (mm/s).

(c) Signal reproducibility input to output shall be within ±5%.

II-830.7 Digital Data Analysis System

II-830.7.1 Display

(a) The analysis display shall be capable of presenting recorded eddy current signal data and text information.

(b) The analysis system shall have a minimum resolution of 12 bits per data point.

(c) The Lissajous pattern display shall have a minimum resolution of 7 bits full scale.

(d) The strip chart display shall be selectable so either the X or Y component of any examination frequency or mixed frequencies can be displayed.

(e) The strip chart display shall have a minimum resolution of 6 bits full scale.

II-830.7.2 Recording System

(a) The recording system shall be capable of playing back all recorded eddy current signal data and text information.

(b) The recording system shall have a minimum resolution of 12 bits per data point.

II-830.8 Hybrid Data Analysis System

(a) For a hybrid system using both digital elements and some analog elements, individual elements shall meet II-830.1 and either II-830.2 or II-830.3, as applicable.

(b) If analog to digital or digital to analog converters are used, the frequency response of the analog element outputs shall be constant within ±5% of the input value from dc to F_{max}, where F_{max} (Hz) is equal to 10 (Hz-in./s) [0.4 (Hz-mm/s)] times maximum probe travel speed.

II-840 REQUIREMENTS

II-840.1 General Requirements

(a) The eddy current signal data from all test frequencies shall be recorded on the recording media as the probe traverses the tube.

(b) The sensitivity for the differential bobbin coil technique shall be sufficient to produce a response from the through-wall holes with a minimum vertical amplitude of 50% of the full Lissajous display height.

II-840.2 Probe Traverse Speed. The traverse speed shall not exceed that which provides adequate frequency response and sensitivity to the applicable calibration discontinuities.

II-840.3 Fixture Location Verification

(a) The ability of the fixture to locate specific tubes shall be verified visually and recorded upon installation of the fixture and before relocating or removing the fixture.

(b) When the performance of fixture location reveals that an error has occurred in the recording of probe verification location, the tubes examined since the previous location verification shall be re-examined.

II-840.4 Automated Data Screening System. When automated eddy current data screening systems are used, each system shall be qualified in accordance with a written procedure.

II-860 CALIBRATION

II-860.1 Equipment Calibration

II-860.1.1 Analog Equipment

The following shall be verified by annual calibration.

(a) The oscillator output frequency to the drive coil shall be within ±5% of its indicated frequency.

(b) The vertical and horizontal linearity of the cathode ray tube (CRT) display shall be within ±10% of the deflection of the input voltage.

(c) The CRT vertical and horizontal trace alignment shall be within ±2 deg. of parallel to the graticule lines.

(d) The ratio of the output voltage from the tape recorder shall be within ±5% of the input voltage for each channel of the tape recorder.

(e) The chart speed from the strip chart recorder shall be within ±5% of the indicated value.

(f) Amplification for all channels of the eddy current instrument shall be within 5% of the mean value, at all sensitivity settings, at any single frequency.

(g) The two output channels of the eddy current instrument shall be orthogonal within ±3 deg. at the examination frequency.

II-860.1.2 Digital Equipment. Analog elements of digital equipment shall be calibrated in accordance with II-860.1.1. Digital elements need not be calibrated.

II-860.2 Calibration Standards

II-860.2.1 General Requirements. Calibration standards shall conform to the following:

(a) Calibration standards shall be manufactured from a tubing of the same material specification, same heat treatment, and same nominal size as that to be examined in the vessel.

(b) Tubing calibration standard materials heat treated differently from the tubing to be examined may be used when signal responses from the discontinuities described in II-860.2.2 are demonstrated to the Inspector to be equivalent in both the calibration standard and tubing of the same heat treatment as the tubing to be examined.

(c) As an alternative to (a) and (b), calibration standards fabricated from UNS Alloy N06600 shall be manufactured from a length of tubing of the same material specification and same nominal size as that to be examined in the vessel.

(d) Discontinuities in calibration standards shall be spaced axially so they can be differentiated from each other and from the end of the tube. The as-built dimensions of the discontinuities and the applicable Eddy Current equipment response shall become part of the permanent record of the standard.

II-860.2.2 Calibration Standards for Differential and Absolute Bobbin Coil

(a) Calibration standards shall contain:

(1) One or both through-wall holes as follows:

(a) A 0.052 in. (1.3 mm) diameter hole for tubing with diameters of 0.750 in. (19 mm) and less, or a 0.067 in. (1.70 mm) hole for tubing with diameters greater than 0.750 in. (19 mm).

(b) Four holes spaced 90 deg. apart in a single plane around the tube circumference, 0.026 in. (0.65 mm) diameter for tubing with diameters of 0.750 in. (19 mm) and less and 0.033 in. (0.83 mm) diameter for tubing with diameters greater than 0.750 in. (19 mm).

(2) A flat-bottom hole 0.109 in. (2.7 mm) diameter, 60% through the tube wall from the outer surface.

(3) A flat-bottom hole $^3/_{16}$ in. (5 mm) diameter, 40% through the tube wall from the outer surface.

(4) Four flat-bottom holes $^3/_{16}$ in. (5 mm) diameter, spaced 90 deg. apart in a single plane around the tube circumference, 20% through the tube wall from the outer surface.

(b) The depth of the artificial discontinuities, at their center, shall be within ±20% of the specified depth or ±0.003 in. (±0.08 mm), whichever is less. All other dimensions shall be within ±0.03 in. (±0.8 mm).

(c) All artificial discontinuities shall be sufficiently separated to avoid interference between signals, except for the holes specified in (a)(1)(b) and (a)(4).

II-860.3 Analog System Calibration

II-860.3.1 Differential Bobbin Coil Technique

(a) The sensitivity shall be adjusted to produce a minimum peak-to-peak signal of 4 volts from the four 20% flat-bottom holes or 6 volts from the four through-wall drilled holes.

(b) The phase or rotation control shall be adjusted so the signal response due to the through-wall hole forms down and to the right first as the probe is withdrawn from the standard holding the signal response from the probe motion horizontal.

(c) Withdraw the probe through the calibration standard at the nominal examination speed. Record the responses of the applicable calibration discontinuities. The responses shall be clearly indicated by the instrument and shall be distinguishable from each other as well as from probe motion signals.

II-860.3.2 Absolute Bobbin Coil Technique

(a) The sensitivity shall be adjusted to produce a minimum origin-to-peak signal of 2 volts from the four 20% flat-bottom holes or 3 volts from the four through-wall drilled holes.

(b) Adjust the phase or rotation control so that the signal response due to the through-wall hole forms up and to the left as the probe is withdrawn from the standard holding the signal response from the probe motion horizontal.

(c) Withdraw the probe through the calibration standard at the nominal examination speed. Record the responses of the applicable calibration discontinuities. The responses shall be clearly indicated by the instrument and shall be distinguishable from each other as well as from probe motion signals.

II-860.4 Digital System Calibration. When the eddy current examination information is digitized and recorded for off-line analysis and interpretation, the system calibration phase and amplitude settings shall be performed off-line by the data analyst. Phase and amplitude settings shall be such that the personnel acquiring the data can clearly discern that the eddy current instrument is working properly.

II-860.4.1 System Calibration Verification

(a) Calibration shall include the complete eddy current examination system. Any change of probe, extension cables, eddy current instrument, recording instruments, or any other parts of the eddy current examination system hardware shall require recalibration.

(b) System calibration verification shall be performed and recorded at the beginning and end of each unit of data storage of the recording media.

(c) Should the system be found to be out of calibration (as defined in II-860.3), the equipment shall be recalibrated. The recalibration shall be noted on the recording and the data analyst shall determine which tubes, if any, shall be reexamined.

II-880 EVALUATION

II-880.1 Data Evaluation. Data shall be evaluated in accordance with the requirements of this Article.

II-880.2 Means of Determining Indication Depth. For indication types that must be reported in terms of depth, a means of correlating the indication depth with the signal amplitude or phase shall be established. The means of correlating the signal amplitude or phase with the indication depth shall be based on the basic calibration standard or other representative standards that have been qualified. This shall be accomplished by using curves, tables, or software.

II-880.3 Frequencies Used for Data Evaluation. All indications shall be evaluated. Indication types, which must be reported, shall be characterized using the frequencies or frequency mixes that were qualified.

II-890 DOCUMENTATION

II-890.1 Reporting

II-890.1.1 Criteria. Indications reported in accordance with the requirements of this Article shall be described in terms of the following information, as a minimum:

(a) location along the length of the tube and with respect to the support members

(b) depth of the indication through the tube wall, when required by this Article

(c) signal amplitude

(d) frequency or frequency mix from which the indication was evaluated

II-890.1.2 Depth. The maximum evaluated depth of flaws shall be reported in terms of percentage of loss of tube wall. When the loss of tube wall is determined by the analyst to be less than 20%, the exact percentage of tube wall loss need not be recorded, i.e., the indication may be reported as being less than 20%.

II-890.1.3 Non-Quantifiable Indications. A non-quantifiable indication is a reportable indication that cannot be characterized. The indication shall be considered a flaw until otherwise resolved.

II-890.1.4 Support Members

II-890.1.4.1 Location of Support Members. The location of support members used as reference points for the eddy current examination shall be verified by fabrication drawings or the use of a measurement technique.

II-890.2 Records

II-890.2.1 Record Identification. The recording media shall contain the following information within each unit of data storage:

(a) owner

(b) plant site

(c) heat exchanger identification

(d) data storage unit number

(e) date of examination

(f) serial number of the calibration standard

(g) operator's identification and certification level

(h) examination frequencies

(i) lengths of probe and probe extension cables

(j) size and type of probes

(k) probe manufacturer's name and manufacturer's part number or probe description

II-890.2.2 Tube Identification

(a) Each tube examined shall be identified on the applicable unit of data storage

(b) The method of recording the tube identification shall correlate tube identification with corresponding recorded tube data.

II-890.2.3 Reporting

(a) The Owner or his agent shall prepare a report of the examinations performed. The report shall be prepared, filed, and maintained in accordance with the referencing Code Section. Procedures and equipment used shall be identified sufficiently to permit comparison of the examination results with new examination results run at a later date. This shall include initial calibration data for each eddy current examination system and subsequent rechecks.

(b) The report shall include a record indicating the tubes examined (this may be marked on a tubesheet sketch or drawing), any scanning limitations, the location and depth of each reported flaw, and the identification and certification level of the operators and data evaluators that conducted each examination or part thereof.

(c) Tubes that are to be repaired or removed from service, based on eddy current examination data, shall be identified.

ARTICLE 8
MANDATORY APPENDICES

APPENDIX III — EDDY CURRENT (ET) EXAMINATION ON COATED FERRITIC MATERIALS

III-810 SCOPE

(a) This Appendix provides the Eddy Current examination methodology and equipment requirements applicable for performing Eddy Current examination on coated ferritic materials.

(b) Article 1, General Requirements, also applies when Eddy Current examination of coated ferritic materials is required. Requirements for written procedures, as specified in Article 8, shall apply, as indicated.

(c) SD-1186, Standard Test Methods for Nondestructive Measurement of Dry Film Thickness of Nonmagnetic Coatings Applied to a Ferrous Base, may be used to develop a procedure for measuring the thickness of nonmagnetic and conductive coatings.

III-820 GENERAL

III-821 Personnel Qualification

NDE personnel shall be qualified in accordance with the requirements of the referencing Code Section.

III-822 Procedure

The requirements of T-823 shall apply. The type of coating and maximum coating thickness shall be essential variables.

III-823 Procedure Demonstration

The procedure shall be demonstrated to the satisfaction of the Inspector in accordance with requirements of the referencing Code Section.

III-830 EQUIPMENT

The ET system shall include phase and amplitude display.

III-850 TECHNIQUE

III-851 Coating Thickness Measurement

The performance of examinations shall be preceded by measurement of the coating thickness in the areas to be examined. If the coating is nondconductive, an Eddy Current technique may be used to measure the coating thickness. If the coating is conductive, a magnetic coating thickness technique may be used in accordance with SD-1186. Coating thickness measurement shall be used in accordance with the equipment manufacturer's instructions. Coating thickness measurements shall be taken at the intersections of a 2 in. (50 mm) maximum grid pattern over the area to be examined. The thickness shall be the mean of three separate readings within ¼ in. (6 mm) of each intersection.

III-852 Procedure Verification

(a) A qualification specimen is required. The material used for the specimen shall be the same specification and heat treatment as the coated ferromagnetic material to be examined. If a conductive primer was used on the material to be examined, the primer thickness on the procedure qualification specimen shall be the maximum allowed on the examination surfaces by the coating specification. Plastic shim stock may be used to simulate nonconductive coatings for procedure qualification. The thickness of the coating or of the alternative plastic shim stock on the procedure qualification specimen shall be equal to or greater than the maximum coating thickness measured on the examination surface.

(b) The qualification specimen shall include at least one crack. The length of the crack open to the surface shall not exceed the allowable length for surface flaws. The maximum crack depth in the base metal shall be between 0.020 and 0.040 in. (0.5 mm and 1.0 mm). In addition, if the area of interest includes weld metal, a 0.020 in. (0.5 mm) maximum depth crack is required in an as-welded and coated surface typical of the welds to be examined. In lieu of a crack, a machined notch of 0.010 in. (0.25 mm) maximum width and 0.020 in. (0.5 mm) maximum depth may be used in the as-welded surface.

(c) Examine the qualification specimen first uncoated and then after coating to the maximum thickness to be qualified. Record the signal amplitudes from the qualification flaws.

(d) Using the maximum scanning speed, the maximum scan index, and the scan pattern specified by the procedure, the procedure shall be demonstrated to consistently detect the qualification flaws through the maximum coating thickness regardless of flaw orientation (e.g., perpendicular, parallel, or skewed to the scan direction). The signal amplitude from each qualification flaw in the coated qualification specimen shall be at least 50% of the signal amplitude measured on the corresponding qualification flaw prior to coating.

III-870 EXAMINATION

(a) Prior to the examination, all loose, blistered, flaking, or peeling coating shall be removed from the examination area.

(b) When conducting examinations, areas of suspected flaw indications shall be confirmed by application of another surface or volumetric examination method. It may be necessary to remove the surface coating prior to performing the other examination.

III-890 DOCUMENTATION

III-891 Examination Report

The report of examination shall contain the following information:

(a) a procedure identification and revision

(b) examination personnel identity, and, when required by the referencing Code Section, qualification level

(c) date of examination

(d) results of examination and related sketches or maps of rejectable indications

(e) identification of part or component examined

III-892 Performance Demonstration Report

Performance demonstrations shall be documented and contain the following information:

(a) identification of the procedure

(b) identification of personnel performing and witnessing the qualification

(c) descriptions and drawings or sketches of the qualification specimen and calibration reference standards, including coating thickness measurement and flaw dimensions

(d) calibration sensitivity details

(e) qualification results, including maximum coating thickness and flaws detected

ARTICLE 8
MANDATORY APPENDICES

APPENDIX IV — GLOSSARY OF TERMS FOR EDDY CURRENT EXAMINATION

IV-810 SCOPE

This Mandatory Appendix is used for the purpose of establishing standard terms and definitions of terms related to Eddy Current examination, which appears in Article 8.

IV-820 GENERAL REQUIREMENTS

(a) This standard terminology for nondestructive examination ASTM E 1316 has been adopted by the Committee as SE-1316.

(b) SE-1316 Section 6, Electromagnetic Testing, provides the definitions of terms listed in IV-830(a).

(c) For general terms, such as *Interpretation, Flaw, Discontinuity, Evaluation,* etc., refer to Article 1, Mandatory Appendix I.

(d) Paragraph IV-830(b) provides a list of terms and definitions, which are in addition to SE-1316 and are Code specific.

IV-830 REQUIREMENTS

(a) The following SE-1316 terms are used in conjunction with this Article: *absolute coil, differential coils, eddy current, eddy current testing, frequency, phase angle, probe coil, reference standard, standard.*

(b) The following Code terms are used in conjunction with this Article.

bobbin coil — for inspection of tubing, a bobbin coil is defined as a circular inside diameter coil wound such that the coil is concentric with a tube during examination

text information — information stored on the recording media to support recorded eddy current data. Examples include tube and steam generator identification, operator's name, date of examination, and results.

unit of data storage — each discrete physical recording medium on which eddy current data and text information are stored. Examples include tape cartridge, floppy disk, etc.

ARTICLE 8
MANDATORY APPENDICES

APPENDIX V — EDDY CURRENT MEASUREMENT OF NONCONDUCTIVE-NONMAGNETIC COATING THICKNESS ON A NONMAGNETIC METALLIC MATERIAL

V-810 SCOPE

This Appendix provides requirements for absolute surface probe measurement of nonconductive-nonmagnetic coating thickness on a nonmagnetic metallatic material.

V-820 GENERAL

This Appendix provides a technique for measuring nonconductive-nonmagnetic coating thicknesses on a nonmagnetic metallic substrate. The measurements are made with a surface probe with the lift-off calibrated for thickness from the surface of the test material. Various numbers of thickness measurements can be taken as the probe's spacing from the surface is measured. Measurements can be made with various types of measurements.

V-821 Written Procedure Requirements

V-821.1 Requirements. Eddy current examination shall be performed in accordance with a written procedure, which shall, as a minimum, contain requirements listed in Table V-821. The written procedure shall establish a single value, or range of values, for each requirement.

V-821.2 Procedure Qualification/Technique Validation. When procedure qualification is specified, a change of requirement in Table V-821 identified as an essential variable shall require requalification of written procedure by demonstration. A change of a requirement identified as a nonessential variable, does not require requalification of the written procedure. All changes of essential or nonessential variables from those specified within the written procedure shall require revision of, or an addendum to, the written procedure.

TABLE V-821
REQUIREMENTS OF AN EDDY CURRENT EXAMINATION PROCEDURE FOR THE MEASUREMENT OF NONCONDUCTIVE-NONMAGNETIC COATING THICKNESS ON A METALLIC MATERIAL

Requirement	Essential Variable	Non-Essential Variable
Examination Frequency	X	
Absolute Mode	X	
Size and Probe Type(s), Manufacturer's Name and Description	X	
Substrate Material	X	
Equipment Manufacturer/Model	X	
Cabling (Type and Length)	X	
Nonconductive Calibration Material (Nonconductive Shims)		X
Personnel Qualification Requirements Unique to this Technique		X
Reference to the Procedure Qualification Records		X

V-822 Personnel Qualification

Personnel qualification requirements shall be in accordance with the referencing Code Section.

V-823 Procedure/Technique Demonstration

The procedure/technique shall be demonstrated to the satisfaction of the Inspector in accordance with the requirements of the referencing Code Section.

V-830 EQUIPMENT

The eddy current instrument may have a storage type display for phase and amplitude or it may contain an analog or digital meter. The frequency range of the instrument shall be adequate for the material and the coating thickness range.

V-831 Probes

The eddy current absolute probe shall be capable of inducing alternating currents into the material and sensing changes in the separation (lift-off) between the contact surface of the probe and the substrate material.

V-850 TECHNIQUE

A single frequency technique shall be used with a suitable calibration material such as nonconductive shim(s), paper or other nonconductive nonmagnetic material. The shims or other material thicknesses shall be used to correlate a position on the impedance plane or meter reading with the nonconductive material thicknesses and the no thickness position or reading when the probe is against the bare metal. If the thickness measurement is used only to assure a minimum coating thickness, then only a specimen representing the minimum thickness need be used.

V-860 CALIBRATION

The probe frequency and gain settings shall be selected to provide a suitable and repeatable signal. The probe shall be nulled on the bare metal.

(a) Impedance Plane Displays. For instruments with impedance plane displays, gains on the vertical and horizontal axes shall be the same value. The phase or rotation control and the gain settings shall be adjusted so that the bare metal point (null) and the air pont are located at diagonally opposite corners of the display. A typical coating thickness calibration curve is illustrated in Fig. V-860.

(b) Meter Displays. For instruments with analog meter displays, the phase and gain controls shall be used to provide near full scale deflection between the bare metal and maximum coating thickness.

(c) All Instruments. For all instruments, the difference in meter readings or thickness positions on the screen shall be adequate to resolve a 10% change in the maximum thickness.

(d) Calibration Data. The screen positions or meter readings and the shim thicknesses shall be recorded along with the bare metal position or meter reading.

(e) Verification of Calibration. Calibration readings shall be verified every two hours. If during recalibration, a reading representing a coating thickness change greater than ±10% from the prior calibration is observed, examinations made after the prior calibration shall be repeated.

V-870 EXAMINATION

Coating thickness measurements shall be taken at individual points as indicated in the referencing Code Section. If it is desired to measure the minimum coating thickness or maximum coating thickness on a surface, a suitable grid pattern shall be established and measurements shall be taken at the intersections of the grid pattern. Measurements shall be recorded.

V-880 EVALUATION

Coating thicknesses shall be compared with the acceptance standards of the referencing Code Section.

V-890 DOCUMENTATION

V-891 Examination Report

The report of the examination shall contain the following information:

(a) a procedure identification and revision,

(b) examination personnel identity, and, when required by the referencing Code Section, qualification level,

(c) date of examination,

(d) results of examination and related sketches or maps of thickness measurements,

(e) identification of part or component examined.

V-892 Performance Demonstration Report

When performance demonstration is required, it shall be documented and contain the following information:

(a) identification of the procedure,

(b) identification of the personnel performing and witnessing the qualification,

(c) coating thickness materials and base material,

(d) frequency, gain and rotation settings as applicable,

(e) qualification results, maximum coating thickness measured.

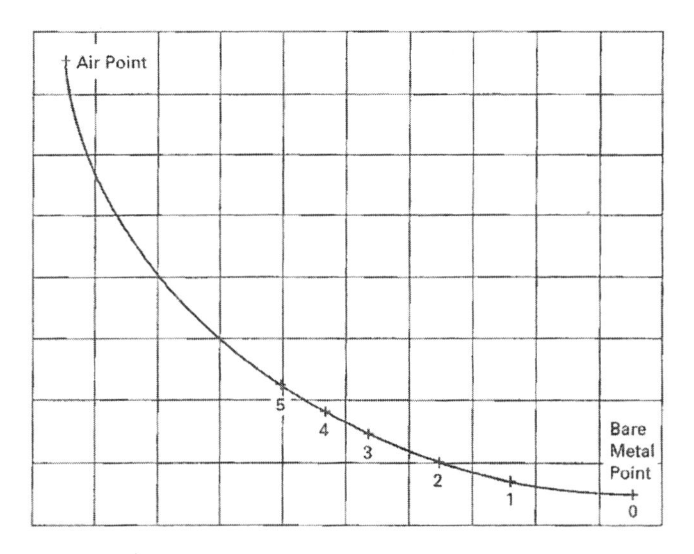

FIG. V-860 TYPICAL LIFT-OFF CALIBRATION CURVE FOR COATING THICKNESS SHOWING THICKNESS CALIBRATION POINTS ALONG THE CURVE

부 록

(Ⅲ)

TABLE 1

ELECTRICAL RESISTIVITY AND CONDUCTIVITY OF COMMON METALS AND ALLOYS

MATERIAL	RESISTIVITY IN MICRO-OHM-CM	CONDUCTIVITY IN % IACS
Admiralty Brass	6.90	25.00
Aluminum(99.9)	2.65	64.94
Aluminum 6061-T6	4.10	42.00
Aluminum 7075-T6	5.30	3200
Aluminum 2024-T4	5.20	30.00
Aluminum Bronze	12.00	14.00
Aluminum Brass	7.50	23.00
Copper	1.72	100.00
Copper Nickel 90-10	18.95	9.10
Copper Nickel 70-30	37.00	4.60
Gold	2.35	75.00
Hastelloy-C	130.00	1.30
Inconel 600	100.00	1.72
Inconel 690	87.00	
Inconel 825	113.00	
Lead	20.77	8.30
Magnesium(99%)	4.45	38.60
Monel	48.20	3.60
Sodium	4.20 @ 0℃	41.00
Stainless Steel 304	72.00	3.00
Stainless Steel 347-348	73.00	
Stainless Steel 316	74.00	2.50
Stainless Steel 321	72.00	
Titanium 99%	48.60	3.55
Tungsten	5.65	30.00
Uranium	30.00	-5.70
Zirconium	40.00	4.30
Zircalloy 2	74.00	

$$F_o = \frac{10\rho}{T^2}$$

Where : F_o=Optimum test frequency in Hertz

ρ =Resistivity of tubing in micro-ohm-cm($\mu\Omega$m)

T=Wall thickness of tubing in inches

TABLE 2

STANDARD TEST FREQUENCIES FOR COMMON MATERIALS

MATERIAL	WALL THICKNESS IN INCHES	TEST FREQUENCY
Inconel 600	0.060	340KHz
	0.055	340KHz
	0.049	400KHz
	0.043	550KHz
	0.040	630KHz
	0.034	675KHz
304 Stainless Steel	0.072	140KHz
	0.065	200KHz
	0.058	225KHz
	0.049	315KHz
	0.035	560KHz
	0.028	920KHz
316 Stainless Steel	0.028	900KHz
	0.047	330KHz
Al 6 x S. S.	0.028	1MHz
Finned Copper	0.035	10KHz
70-30 CuNi	0.065	85KHz
	0.049	150KHz
	0.038	275KHz
90-10 CuNi	0.049	65KHz
	0.041	80KHz
	0.029	200KHz
Admiralty Brass	0.070	18KHz
	0.065	16KHz
	0.049	35KHz
	0.040	45KHz
Alloy 20	0.1025	90KHz
Monel	0.083	65KHz
Incoloy 800, 18 ga	Heat Treated	300KHz
	Shot Peened	350KHz
Incoloy 690, 18 ga	Heat Treated	430KHz
Titanium	0.028	525KHz

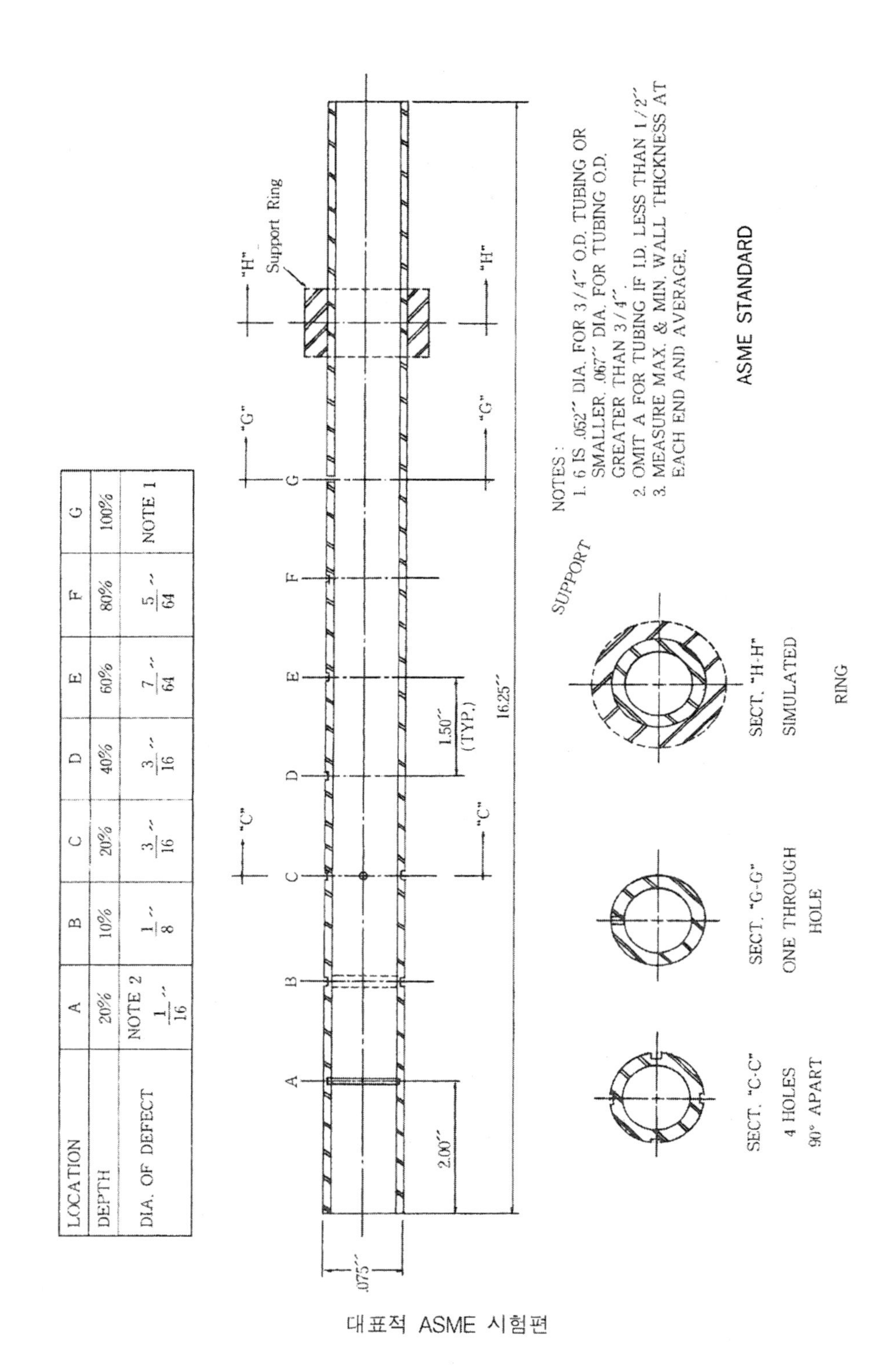

LOCATION	A	B	C	D	E	F	G
DEPTH	20%	10%	20%	40%	60%	80%	100%
DIA. OF DEFECT	NOTE 2 1/16"	1/8"	3/16"	3/16"	7/64"	5/64"	NOTE 1

대표적 ASME 시험편

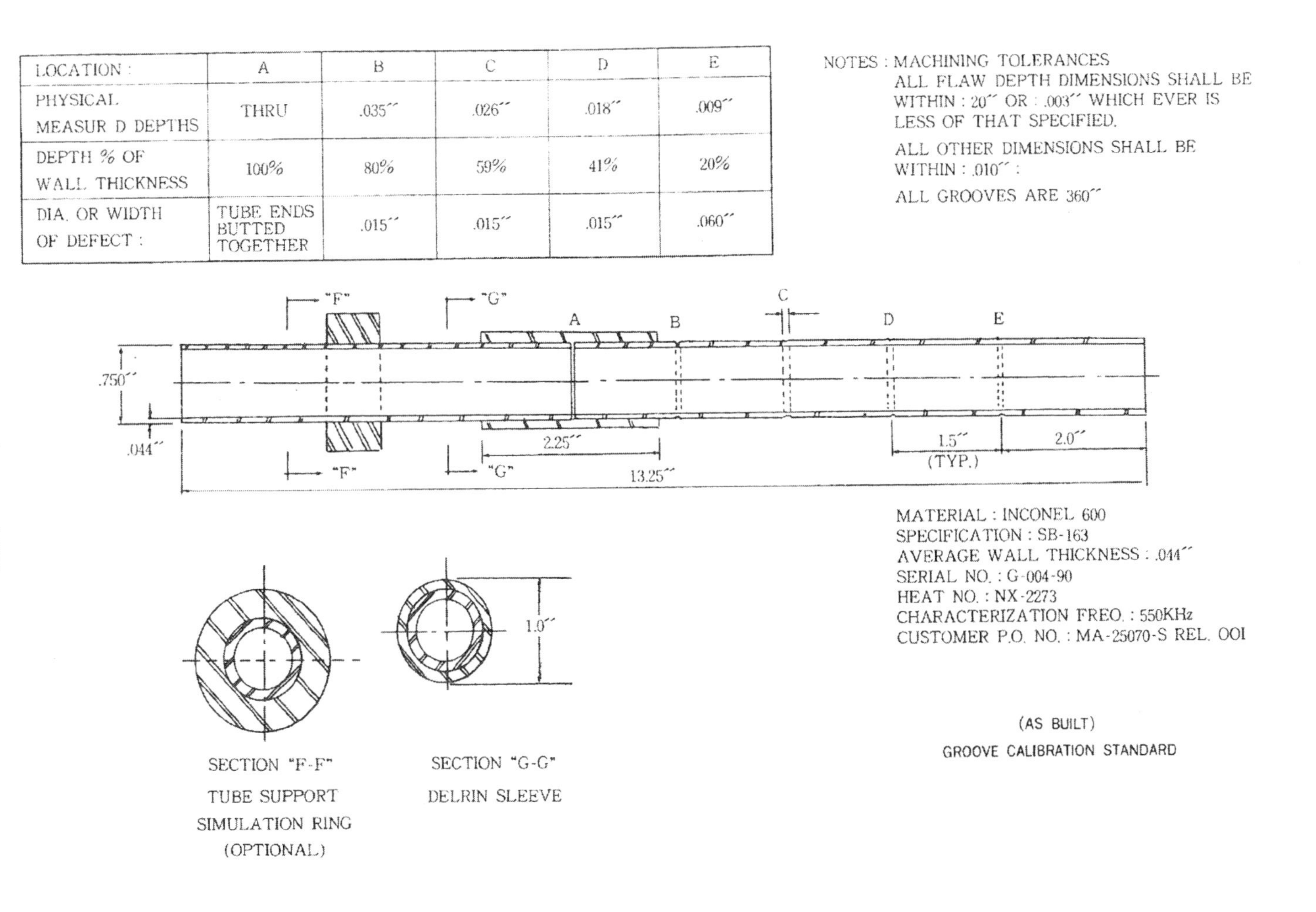

LOCATION :	A	B	C	D	E
PHYSICAL MEASUR D DEPTHS	THRU	.035″	.026″	.018″	.009″
DEPTH % OF WALL THICKNESS	100%	80%	59%	41%	20%
DIA. OR WIDTH OF DEFECT :	TUBE ENDS BUTTED TOGETHER	.015″	.015″	.015″	.060″

Groove 교정 표준 시험편

【 찾아보기 】

| 참고 문헌 |

1. Programmed Instruction Handbook (PI-4-5) ; General Dynamics

2. Level III Study Guide ; ASNT

3. ASME code Sec. V, Article 8

4. ASME code Sec. XI

5. KEPIC-MEN-6000 와전류탐상검사

6. KS-D- 0232 강의 와류탐상시험방법

7. KS-D-0252 강관의 와류탐상시험방법

8. Metal Handbook Vol. 11 ; ASM

9. Zetec Instruction

■ 著者略歷 ■

이 용

- 한양대학교 재료공학과 졸업
- 대우조선해양(주) QA부장
- 한전KPS(주) 처장
- Magnaflux Corp(미국) NDT연수(Level III)
- 비파괴검사 기술사

現, 케이엔디티엔아이(주) 부회장

비파괴검사 이론 & 응용 ❻

와류탐상검사

발 행 일 | 2012년 1월 10일
개 정 일 | 2018년 8월 27일
저 자 | 한국비파괴검사학회
이용
발 행 인 | 박승합
발 행 처 | 노드미디어
등 록 | 제 106-99-21699 (1998년 1월 21일)
주 소 | 서울특별시 용산구 한강대로341 대한빌딩 206호
전 화 | 02-754-1867
팩 스 | 02-753-1867
홈페이지 | http://www.enodemedia.co.kr
I S B N | 978-89-8458-255-2-94550
978-89-8458-249-1-94550 (세트)

정가 18,000원